LISE TREMBLAY

Lise Tremblay est née en 1957 au Saguenay. Elle est professeur de littérature au Cégep du Vieux-Montréal durant la moitié de l'année. Elle passe les six autres mois sur une petite île du Saint-Laurent, au plus près d'une nature et de la force des éléments qui nourrissent son imaginaire depuis son enfance. Dès sa parution en 1990, son premier roman, *L'hiver de pluie*, a retenu l'attention des critiques et des lecteurs ; il a mérité le Prix Découverte du Salon du livre du Saguenay-Lac-Saint-Jean et le Prix Stauffer-Canada. En 1999, le Prix du Gouverneur général pour *La danse juive* (également finaliste pour le Prix des libraires) a consacré le talent de Lise Tremblay.

LA PÊCHE BLANCHE

En février, les Saguenéens installent temporairement de petites cabanes sur la glace pour pratiquer la pêche dans les eaux du fjord. Ce décor a marqué l'enfance de deux frères, Simon et Robert, comme l'emblème d'un destin que chacun assumera à sa manière : habiter le Nord, être habité par lui. Depuis Chicoutimi, Robert écrit à son frère des lettres rongées par le silence, mais accompagnées de livres qui parlent et qui partent à sa place. Dans son motel californien, Simon reçoit ces bribes d'une nordicité qu'il emporte avec lui au fil de son errance américaine. Il devra, malgré lui, refaire ce voyage vers le Nord et vers le silence.

LA PÊCHE BLANCHE

DE LA MÊME AUTEURE

L'hiver de pluie, Montréal, XYX, 1990;
Montréal, Bibliothèque québécoise, 1997.

La danse juive, Montréal, Leméac Éditeur, 1999.

LISE TREMBLAY

La pêche blanche

BIBLIOTHÈQUE QUÉBÉCOISE

BQ

BIBLIOTHÈQUE QUÉBÉCOISE est une société d'édition administrée conjointement par les Éditions Fides, les Éditions Hurtubise HMH et Leméac Éditeur. Bibliothèque québécoise remercie le ministère du Patrimoine canadien du soutien qui lui est accordé dans le cadre du Programme d'aide au développement de l'industrie de l'édition. BQ remercie également le Conseil des Arts du Canada et la Société de développement des entreprises culturelles du Québec (SODEC).

BIBLIOTHÈQUE QUÉBÉCOISE bénéficie du Programme de crédit d'impôt pour l'édition de livres du Gouvernement du Québec, géré par la SODEC.

Conception graphique : Gianni Caccia
Typographie et montage : Dürer *et al.* (MONTRÉAL)

Données de catalogage avant publication (CANADA)
Tremblay, Lise, 1957-
La pêche blanche
Éd. originale : Montréal : Leméac, 1994.
ISBN 2-89406-193-5

I. Titre.

PS8589.R4465P42 2001 C843'.54 C2001-940233-3
PS9589.R4465P42 2001
PQ3919.2.T73P42 2001

Dépôt légal : 2e trimestre 2001
Bibliothèque nationale du Québec

IMPRIMÉ AU CANADA

pour Yvon

PREMIÈRE PARTIE

Ce matin, le propriétaire est venu.

Il tenait un plan de l'édifice dessiné à la main. Il m'a demandé si je comptais rester encore longtemps. J'ai répondu que je ne le savais pas. Il s'est tourné vers la mer en disant qu'il faisait de plus en plus chaud: la haute saison allait commencer. Les chambres du devant, celles donnant sur le Pacifique, il pouvait les louer au double du prix habituel. Si je voulais payer le même prix, je devais déménager. J'ai dit O.K. J'ai mis mon doigt sur une des chambres au hasard. Il est revenu plus tard avec le gros chariot qui traîne toujours devant l'office. J'ai commencé par ranger les livres dans la boîte que mon frère m'avait envoyée. Le reste, je l'ai jeté pêle-mêle dans le chariot. Je me suis aperçu dans une fenêtre. Ça m'a rendu mal à l'aise. Dans le Old San Diego, les clochards poussent les mêmes.

San Diego n'est pas une ville de voyageurs. Ceux qui vivent sur la route passent plus au nord, dans des villages habités par d'anciennes communautés hippies, des hommes et des femmes aux cheveux gris. La dernière fois, j'y avais vu des ranchs inhabités et des chevaux mourant de faim. Les propriétaires n'arrivaient plus à vivre, et plutôt que de se voir acculés à la faillite, ils désertaient. Chaque semaine, on trouvait des chevaux abandonnés dans les terres. C'est atroce, des chevaux maigres. Ils restent immobiles, collés les uns sur les autres, silencieux, résignés.

D'habitude, à ce temps-ci de l'année, j'ai quitté le motel et je suis en route vers Prince Rupert. J'arrive toujours un peu avant la reprise du chantier. Cela me donne le temps de souffler. Chaque jour, je me dis: « Il faudrait que je parte », et je ne pars pas.

Ma nouvelle chambre donne sur le parking. Elle est plus sombre que celle que j'occupais. Ici, il n'y a que les vieux qui commencent à arriver, ce n'est pas la pleine saison touristique, pas encore, mais elle commence tôt, fin février.

Les Mexicains débarquent aussi, c'est leur nord à eux. Dans les restaurants, ils se multiplient. Ils vivent en bandes sur les terrains de camping aux abords de la ville. Je ne sais pas pourquoi, je tarde à partir. Ce matin, après avoir transporté mes affaires, j'ai placé mon sac à dos au milieu de la chambre. Je pensais m'agenouiller et me soumettre encore une fois à la cérémonie des bagages. Le courage m'a manqué. J'ai poussé le sac sous le lit et me suis couché. J'étais épuisé. Je me suis réveillé tard dans l'après-midi, couvert de sueur. La chaleur de l'asphalte chauffé par le soleil s'infiltrait à travers les murs. Je me suis levé pour mettre le climatiseur en marche. Je devrai m'habituer à ce bourdonnement. À l'avant, je laissais les fenêtres ouvertes et l'air froid de la mer me forçait à me couvrir pour dormir. Je ne devrais pas tarder à partir. Je risque de rater l'embauche sur le chantier.

Je n'ai pas écrit à mon frère depuis longtemps. Sa dernière lettre est dans la boîte qu'il m'a envoyée, avec les livres. Au Saguenay, on a commencé à installer les cabanes sur le fjord pour la pêche blanche. Maintenant, cela n'a plus rien à voir avec autrefois : il y a tellement de cabanes qu'on balise les rues, et cela forme un véritable village. Au plus fort de la pêche, il y a au moins mille cabanes sur la rivière. Chaque jour, en se rendant à l'université, mon frère fait un détour pour les observer. Il stationne sa voiture et compte les cabanes. J'ai pensé que c'était une occupation d'enfant.

Il me raconte qu'il a vu, à six heures du matin, un bateau amarré au port et recouvert de verglas. Un navire battant pavillon brésilien. C'était une des journées les plus froides de l'hiver. La brume sur le Saguenay était plus opaque que d'habitude et ne s'était pas dissipée de tout le jour. Il a vu des hommes en train d'essayer de déglacer le bateau avec des couteaux de table. Des hommes chaussés de souliers d'été qui tombaient partout sur le pont. Il a cherché dans le journal, pour voir, mais on n'en faisait pas mention. J'ai pensé qu'il surveillait encore la rivière, comme nous n'arrêtions pas de le faire lorsque nous étions enfants. Jamais je ne me dis : « Là-bas, c'est l'hiver. » Jamais. C'est autre chose. Comme si l'hiver était un état. On le porte à l'intérieur de soi.

*

Je m'inquiète de mon immobilité. Je passe mes journées assis sur la chaise près de la fenêtre, n'écris à personne, ne me rends même pas à l'office chercher mon courrier. Je pense au Saguenay, à mon frère, à la grosse maison qu'il habite. Une maison comme une forteresse inutile. Je devrais être en route vers le Nord. Je lis un roman que je pose souvent devant moi, pour le lire moins vite. Je le fais toujours avec les livres que j'aime. C'est une histoire qui me prend à la gorge.

Une histoire du Nord.

Un homme désœuvré parcourant des États entiers pour aller combattre des incendies de forêt. J'avais moi aussi une histoire du Nord mais je n'y pensais jamais. Je me réfugiais dans celles des autres. Celles des Américains surtout, pour qui le nord était le Michigan. J'aimais la lenteur de ces romans. La langueur de l'automne permanent qui y règne. L'automne y est une très longue saison avant l'arrivée de la neige. Mon Nord à moi était différent, il y avait les camions, l'alcool, mais en plus, le silence, le froid, la désespérance. Le mot venait de me traverser. La désespérance est un mot du Nord, un mot qui se colle au Nord, à l'inconfort qui dure des mois, au poids des vêtements, au vide, aux villages fantômes sur les rives du fleuve et que le vent traverse maintenant sans résistance, parce qu'il faut des hommes pour résister et que c'est dans cette résistance qu'ils trouvent leur raison de vivre. J'ai déserté depuis longtemps, mais l'état d'hiver, lui, est revenu s'installer chaque année.

Je sais qu'on n'y échappe pas.

*

Depuis des jours, je me nourris comme les Américains. J'achète des plats surgelés que je fais chauffer dans la salle du personnel et que j'apporte ensuite dans ma chambre. Ça contient tout et tout se jette. Les Américains croient qu'ils ont inventé la liberté et c'est vrai. Je mange en même temps que je regarde le journal télévisé. Je finis vite. Je m'étends ensuite sur le lit avec un livre, une émission de télévision en bruit de fond. Mais aujourd'hui, j'ai mis un tee-shirt propre sous ma chemise et je suis allé voir les touristes dans le Old San Diego.

Le vieux village a été reconstitué autour de la mission espagnole et les Mexicains y exploitent boutiques et restaurants. Les banlieusards de Los Angeles en font leur dimanche. En semaine, il y a surtout des circuits organisés : des vieux, tous vêtus de blanc. Ils ont passé la journée au zoo qu'ils ont visité en autobus et maintenant ils s'engouffrent dans les restaurants et commandent des margaritas qu'on leur sert dans d'immenses coupes comme je n'en ai vu qu'aux États-Unis. J'étais de bonne humeur, j'avais survécu à ces quelques jours d'état d'hiver et j'allais m'asseoir devant une gigantesque assiette de tortillas. Je voulais passer ma soirée à observer les touristes.

En attendant d'avoir ma place, j'ai entendu quelqu'un parler avec l'accent québécois. Je ne me suis pas retourné. On m'a installé à côté d'un homme qui mangeait seul lui aussi. Il me faisait face. Nous étions obligés de nous dévisager. Il a appelé le serveur. J'ai reconnu l'accent. Je me suis adressé à lui en français. Il n'a pas été étonné. Ça m'a surpris. Il m'a dit qu'il ne connaissait pas beaucoup la ville. Il était toujours passé sans s'arrêter. Il logeait dans un motel près du port et il y avait tellement de sans-abri aux alentours que le propriétaire verrouillait les portes avec de gros cadenas qu'il fallait replacer à chaque fois qu'on sortait. Il ne voulait pas demeurer longtemps à cet endroit. Il irait ailleurs demain. Mais là, il venait à peine de descendre de l'autobus et il avait eu envie de poser son sac par terre et de prendre une douche. Il a loué une chambre au premier endroit qu'il a trouvé. Il remontait du Mexique en autobus, pour décanter. Le mot m'a frappé.

Il a dit qu'il était tailleur de fourrure avant. Ça m'a étonné parce qu'il était plus jeune que moi. Il gagnait bien sa vie comme ça. Des tailleurs de fourrure, il n'en existe presque plus. Puis il s'est mis à faire des allergies aux produits chimiques utilisés pour le tannage. Longtemps, il a refusé d'y croire. Il allait travailler quand même, mais, avec le temps, c'était devenu difficile à vivre. Il passait ses journées à éternuer et ses yeux étaient toujours pleins de larmes. Il a arrêté, c'était trop dangereux. Il risquait de faire un faux mouvement et de se sectionner un doigt, une main. Il est resté longtemps inactif. Il ne savait pas quoi faire d'autre. Il passait ses journées à marcher dans Montréal. Pour rien, pour bouger.

Une de ses amies s'occupait d'une agence de voyages et, comme il parlait espagnol, elle lui a proposé d'accompagner des groupes de touristes québécois dans le Sud.

Il travaillait de novembre à la fin mars. Cette année, il avait décidé de terminer sa saison à l'avance. Il n'en pouvait plus. Il remontait souvent comme ça, vers le Nord, en autobus. Il faisait cela parce qu'il voulait du temps. Dès qu'il finissait de travailler, il voulait du temps. Pour lui, le métier de guide touristique est le plus infect de la Terre. Il dit que les touristes sont désœuvrés. Il n'a jamais trouvé un autre mot que celui-là: désœuvrés.

Depuis des années, une fois que le groupe de touristes a repris l'avion, il les oublie. Il ne se rappelle jamais de personne. À Montréal, il en croise chaque jour dans la rue qui l'interpellent. Il ne se souvient jamais de leur visage. Il fait comme si et leur parle de la température.

Pour se dérober, il était devenu champion. Le pire, c'était les photos, et ça, il ne pouvait y échapper. Chaque fois qu'il pense au nombre de photos sur lesquelles il apparaît et qui sont rangées dans des albums en plastique, il a le vertige.

Il buvait des bières mexicaines lentement en essayant souvent d'attraper le morceau de limette qui flottait au-dessus du liquide. Je lui ai parlé du Québec, de mon frère, de Chicoutimi où il devait faire dans les moins vingt ; là-bas, c'était le pire temps de l'hiver. Je m'esquivais aussi dans des histoires de température. Il n'était jamais allé plus loin que Québec et il ne connaissait que le Nord aménagé des Montréalais et celui d'Yves Thériault, qu'il avait lu à l'école secondaire. Pour lui, Montréal, c'était devenu le Grand Nord depuis qu'il passait son temps dans le Sud. Le Grand Nord dépeuplé. Quelques jours dans la foule à Mexico réussissaient à l'en convaincre.

Il m'a raconté que maintenant, il ne dormait jamais dans le même hôtel que le groupe. Il descendait ailleurs. S'il n'avait pas décidé cela, il n'aurait plus été en mesure de travailler. La première année, il sentait leur présence partout et ne pouvait pas fermer l'œil. Il les imaginait en train de le regarder dormir.

Avant toutes ces histoires de drogue, il passait ses vacances dans un petit village au Guatemala. Ils étaient seulement quelques voyageurs à séjourner là. Il y avait une petite communauté d'étrangers, européens surtout, qu'il fréquentait. C'était un paradis. Tout cela était fini depuis longtemps. Maintenant, on n'y rencontrait que des vieux freaks accrochés par la dope.

Je lui ai demandé comment il allait se rendre à son motel. Il pensait prendre un taxi. Il n'était pas certain de séjourner longtemps à San Diego. S'il décidait de rester, il viendrait s'installer près de la plage, peut-être au motel que j'habitais. J'ai écrit le nom sur une serviette de papier avec le numéro de la chambre. Il voulait savoir combien de temps j'allais rester là. Je ne le savais pas. Il était rare que je finisse février ici. Habituellement, j'étais déjà en route vers la Colombie-Britannique. Je ne faisais pas le chemin sans m'arrêter. Je passais quelques jours à San Francisco. Il ne comprenait pas pourquoi je n'allais pas plus au sud, au Mexique. En cherchant bien, il y avait encore quelques endroits tranquilles et les Mexicains, on arrivait à s'en accommoder. J'ai dit que je l'avais fait autrefois et puis je m'étais installé ici. On n'y passait pas un hiver torride, mais il faisait souvent vingt ou vingt-deux degrés.

Je me suis levé. Le restaurant était vide. Les Américains se couchent tôt. Le tailleur de fourrure voulait rester encore un peu. Il avait commandé une autre bière. C'était un homme maigre, exactement comme on imagine un tailleur de fourrure.

J'ai marché jusqu'au motel, ce n'était pas très loin. Ma jambe me faisait mal. Des gens se promenaient encore sur le trottoir de bois qui longe la baie. Je ne voyais pas la mer, sa masse noire se perdait dans la nuit. Il faisait doux, c'était les premiers jours du printemps sud-californien avec les fleurs qui commençaient à s'épanouir et toute cette végétation tropicale qui se réveillait. J'entendais des bêtes remuer dans les herbes hautes qui me séparaient de la route. Je faisais un peu attention où je mettais les pieds. Les serpents sortent la nuit.

Le tailleur de fourrure avait trop parlé. La conversation m'avait épuisé. J'avais hâte de me coucher dans les draps frais changés et qui sentaient les gaz utilisés pour le nettoyage à sec. J'aimais beaucoup cette odeur. J'étais impatient de retrouver mon nouveau roman, un de ceux qui étaient dans la boîte. Un livre de Jim Harrison qui racontait l'histoire d'un ouvrier spécialisé, devenu infirme et s'étant retiré près du lac Supérieur. L'homme avait toujours refusé son handicap et avait appris à se déplacer en rampant sur le sol comme un reptile. Il était revenu vivre dans la ferme de son enfance, un lieu rendu complètement désertique par les coupes à blanc qu'on y avait faites autrefois. La végétation se limitait à des arbustes recouverts de poussière grisâtre transportée par les vents des Grands Lacs.

Lorsqu'on passait sur l'autoroute, non loin de là, en chemin vers la frontière, on aurait dit qu'il y avait eu une explosion atomique.

J'ai commencé à lire mais je n'y arrivais pas : le café mexicain et le tailleur de fourrure m'avaient excité. J'avais la curieuse sensation de m'observer. Je voyais un homme, dans une chambre de motel, un homme trop vieux pour posséder un sac à dos. Il était couché sur un lit et transpirait.

Je m'étais mis à la lecture à Prince Rupert à l'époque de mon premier chantier. Même si les compagnies installaient des salles de jeux et des équipements sportifs, la plupart des hommes passaient leurs temps libres dans leur chambre. Ils lisaient. Ils voulaient être seuls.

Je ne me rendais pas souvent en ville. Je préférais faire le plus d'heures possible en attendant d'être licencié au début de l'hiver. Les compagnies fermaient les chantiers lorsque la neige, devenue trop abondante, ralentissait les travaux. Les premières années, je traversais le pays en autobus pour aller m'installer chez mon frère à Montréal. Il passait ses journées à l'université et je préparais le souper. Nous sortions tous les soirs dans le même bar. Nous voulions ramener des filles. Ça ne marchait jamais. Puis j'ai commencé à aller dans le Sud. Je n'aimais pas Montréal. Je me sentais rejeté, comme si la ville ne voulait pas s'ouvrir. Mon frère est retourné au Saguenay après ses études.

Je me suis relevé pour augmenter la puissance du climatiseur et j'ai allumé la lumière dans la salle de bains pour m'endormir: c'est un vieux truc pour combattre l'insomnie. Je ne sais plus à quelle heure je me suis enfin endormi, mais, le lendemain, je me suis levé trop tard: il n'y avait plus de *free coffee* à l'office. J'ai regagné ma chambre. J'imagine que le patron avait dû me voir revenir les mains vides. Un peu plus tard, il m'a apporté le journal avec deux verres de café, des sachets de crème en poudre et du sucre. J'ai bu les deux verres. La graisse faite par la poudre synthétique glissait contre la paroi des gobelets.

Je n'ai pas revu le tailleur de fourrure. J'allais toujours au même restaurant. On y servait des tortillas à volonté. Je me suis dit qu'il valait mieux prévenir mon frère que j'étais encore ici.

J'ai aussi écrit à la mère. C'est comme ça qu'on l'a toujours appelée. Je lui ai envoyé une carte postale montrant une attraction locale.

Cela faisait plus de vingt ans maintenant que j'étais parti dans l'Ouest. À l'époque, beaucoup de jeunes de mon âge s'y rendaient parce qu'il y avait plus de travail par là. On le disait et c'était vrai. Mais nous faisions des jobs d'immigrants: restaurants, hôtels, cours de français à des cadres de compagnie. On amassait de l'argent puis on repartait au Mexique, pour l'hiver. Dans le temps, on pouvait y vivre pour rien. La plupart de ceux que j'ai connus sont retournés dès que cela a commencé à s'arranger un peu au Québec.

Au cours du premier hiver que j'ai passé au Mexique, mes parents ont déménagé dans un nouveau quartier de Chicoutimi, en arrière du centre commercial. Dans ce temps-là, il n'y en avait qu'un. En face, de l'autre côté du boulevard à deux voies, c'était encore des champs. Depuis, ils en ont construit un autre et les bungalows ont poussé alentour. En arrivant, juste à la sortie du parc des Laurentides, on a l'impression de se retrouver dans une banlieue américaine. Il y a un grand boulevard bordé de magasins de toutes sortes. Les chaînes de *fast-food* s'y sont installées. Comme ici, comme dans les villes de la péninsule près de San Francisco, ou comme en arrivant à Laval, à Longueuil, à Sept-Îles. Ça donne le vertige tellement c'est pareil.

Ce que j'aime à San Diego, c'est le Sud confortable, climatisé, où l'on trouve du coke froid partout dans des machines distributrices bien situées. Des toilettes de McDonald propres et grandes comme des églises où on peut aller uriner en tout temps. Des motels qui ne coûtent rien hors saison et des supermarchés avec spectacle en permanence. J'aimerais parler de cela dans les lettres que j'envoie à mon frère. Mais il dit toujours que c'est mon délire américain. Je ris, j'arrive à être heureux ici, sauf peut-être ces dernières semaines. Je sais que ça va passer.

Je ferme le son de la télévision, tasse ce qui traîne sur le bureau. Je veux écrire à mon frère. Je cherche la date sur le journal, décide de ne pas l'inscrire.

Robert,
Je suis encore à San Diego. Je n'arrive pas à repartir vers le Nord. Je n'ai pas fini les livres que tu m'as envoyés. Je te les retournerai bientôt.

J'ai beaucoup pensé au Saguenay ces derniers temps, aux cabanes de couleurs vives plantées au milieu de la rivière. Je me souviens qu'enfants, nous ne les avons jamais vues. Notre père refusait de nous y emmener. Il était impossible de descendre au Saguenay par nos propres moyens, nous risquions de caler dans la neige sur le bord des rochers et de rester ensevelis. C'était déjà arrivé. La mère racontait souvent cette histoire. Je n'ai jamais vu les cabanes. Il a toujours refusé de nous y emmener. Je lui en veux encore.

J'ai rencontré un Québécois, un ancien tailleur de fourrure converti en guide touristique. Il remonte au Nord comme moi, en autobus. Ça m'a fait drôle de parler français toute une soirée. J'adore le roman de Harrison même s'il est mal traduit. Je te préviendrai dès que j'aurai décidé de la date de mon départ.

À bientôt,

Simon

Robert essaya à nouveau de tourner la clé. Inutile. Toutes les serrures des portières de la voiture étaient gelées. L'antigel était au sous-sol. Il regagna la maison en courant. Il resta quelque temps sur le seuil de la porte avant de ressortir. Il faisait froid. Ses mains étaient déjà rougies.

Il murmura pour lui-même: «Février». Ça le fit frissonner. C'était le milieu de l'hiver: le pire temps de l'année. Tout le monde retenait son souffle et attendait que ça passe. Robert attendait, lui aussi. Il lui sembla que, depuis des années, il ne faisait que cela. Attendre.

Il monta enfin dans la voiture gelée. Ses dents claquaient. Il n'avait pas le courage de rentrer et de quitter la chaleur de la maison une autre fois. Il passait constamment ses mains devant la commande de chauffage, mais l'air mettait plus de temps que d'habitude à se réchauffer.

Il ne voyait rien à l'extérieur de la voiture. Toutes les fenêtres étaient givrées. Il ne se souvenait pas d'avoir connu un hiver si froid. Il se mit à penser à l'été, au long arrêt dans l'enseignement et aux journées entières à contempler le Saguenay.

La chaleur commençait enfin à se propager à l'intérieur du véhicule. Il se détendit un peu. Il relut la lettre de Simon qui traînait sur la pile de journaux et de circulaires accumulés sur le siège arrière.

C'était une drôle de lettre, différente de celles qu'il avait reçues jusqu'à maintenant. On aurait dit que son frère était inquiet. C'était la première fois qu'il faisait allusion à leur enfance. Ça l'avait étonné.

Le rang commença à prendre forme devant lui. Les fenêtres étaient assez dégagées pour qu'il puisse conduire en sécurité. Il sentait le volant sur son ventre à chaque fois qu'il faisait une manœuvre pour tourner. Il avait toujours été gros, mais là, son ventre était proéminent. Il avait honte. Il s'imagina en juillet, couvert de sueur, la bedaine serrée par un tee-shirt. Bedaine. Le mot venait de le surprendre, il ne l'utilisait jamais. Bedaine, ça le ramenait en arrière, aux camisoles de son père et à son ventre pris dedans, à la transpiration et au changement de petit corps qu'il faisait avant de partir pour l'usine. Son père disait «petit corps» pour les sous-vêtements et il n'aimait pas cela, même enfant, il n'aimait pas cela. Il n'aimait pas le ton de son père.

Il devait aller visiter ses parents aujourd'hui. Il s'y rendait aux quinze jours. Un vendredi sur deux, un peu après l'heure du dîner. Avec un peu de chance, son père serait couché. Il faisait toujours une sieste l'après-midi. Sinon, Robert devait subir la même rengaine qu'il connaissait par cœur. Son père parlait, assis dans sa berceuse, leur tournant le dos à lui et à sa mère. Il tempêtait contre son frère. Il l'appelait «l'autre». Il disait qu'il gaspillait son argent dans les motels. Sa mère le faisait taire et souvent c'était pire. Il se mettait à respirer si fort que cela emplissait l'espace. Lui et sa mère n'arrivaient plus à se parler. Ils se retrouvaient assis face à face, emprisonnés dans le bruit de la respiration de son père. Cela durait depuis toujours. Son père imposait encore le silence. Et Robert s'y résignait. Il redevenait l'adolescent qu'il avait été, un gros garçon silencieux et violent qui mangeait et se masturbait à longueur de journée.

Ses parents n'habitaient que la cuisine, ils n'allaient jamais au salon. C'était une habitude de vieux, ils ne voulaient pas chauffer les autres pièces pour ne pas trop dépenser.

Le stationnement était presque désert. Seules les voitures des concierges qui assuraient les quarts de nuit étaient alignées devant l'entrée de l'université. Celle d'un collègue d'un autre département était là, elle aussi, stationnée un peu à l'écart. Robert avait entendu dire qu'il passait parfois la nuit à travailler dans son bureau. Il ne lui avait jamais parlé. Il savait seulement que c'était un homme anxieux. Sa voix tremblait lorsqu'il prenait la parole lors des assemblées syndicales et souvent, il bégayait. Lorsqu'il le voyait s'avancer vers le micro, Robert retenait sa respiration. Il avait du mal à supporter l'hésitation de son collègue. Il se demandait toujours si celui-ci avait la même voix lorsqu'il s'adressait à ses étudiants. C'est ça qui touchait Robert : une voix sans assurance, perdue dans une classe.

Les pare-brise luisaient sous la glace qui s'était formée pendant la nuit. Il frissonna malgré la chaleur de sa voiture. Il ne pouvait pas voir des autos froides abandonnées devant une bâtisse à la lumière du petit jour de février sans que cela le fasse frémir. C'était une image d'hiver ancrée en lui. Il pensa au livre qu'il faisait lire à ses étudiants, une histoire de février avec des tempêtes et des redoux et un carnaval de village. Il avait dit à ses étudiants qu'ils étaient en train de lire les plus belles pages jamais écrites sur l'hiver. Le héros finissait par se suicider au milieu de ses veaux. L'hiver était trop dur.

C'était un beau livre. Un livre qui blesse.

Il n'était pas pressé. Il avait une réunion à neuf heures. Louise ne comprenait pas pourquoi il partait si tôt de la maison. Il ne pressait jamais le pas le matin. Il ne supportait pas l'effort physique ; même enfant, il en souffrait. Robert aimait que son corps l'accompagne, pas qu'il soit une entrave. Il sortit de l'auto et entra dans l'université par la porte de la cafétéria. Il trouvait toujours étrange cette odeur de nourriture près des bureaux de l'administration. Dans la cafétéria, les concierges de nuit occupaient une table à l'avant et parlaient à voix haute, excités par leur nuit sans sommeil. Il n'y avait personne d'autre. On venait à peine d'ouvrir. Robert prit un cabaret. Sa couleur orange délavé était écœurante. La serveuse plaça son déjeuner dessus sans qu'il eût rien commandé. Il le poussa jusqu'à la caisse, régla et s'installa à sa place avec le journal régional. Ce ne serait pas une longue journée. Il rentrerait probablement en milieu d'après-midi, après la visite à ses parents. La maison serait vide, car Louise travaillait de jour, comme elle disait. Il pensait dormir un peu à la chaleur du poêle. Louise serait là à quatre heures et demie et ils regarderaient le soir tomber.

Sa maison était bien située. Dans la nuit, on apercevait les lumières des habitations de l'autre côté du Saguenay et presque toutes celles du rang. En été, Robert contemplait ce qu'il appelait son morceau de rivière. C'est pour cela qu'il avait acheté cet emplacement : pour voir le Saguenay. Il ne l'avait pas dit à Louise, elle n'aurait pas compris. Il avait pris son temps et trouvé ce terrain dans un rang, un peu à l'écart de la ville. Un seul cultivateur avait survécu. Il semait de la luzerne dans les champs à l'arrière des cours gazonnées des bungalows.

Dans son rang, on ne construirait pas derrière chez lui, c'était « zoné agricole », comme disaient ses voisins. Il n'aimait pas leurs maisons propres et massives qui bordaient la route. Mais de chez lui, il pouvait voir le fjord. Souvent, il prenait la voiture et descendait la côte devant chez lui et se retrouvait sur un ancien chemin de ferme qui surplombait le Saguenay. Il pouvait voir loin en amont, jusqu'au vieux pont de Sainte-Anne. Il laissait fonctionner le moteur de la voiture. Il devait avoir l'air inquiétant, arrêté comme ça au beau milieu de la route. Ça non plus, il ne le disait pas à Louise. Peut-être le savait-elle. Il y avait entre eux des choses dont ils ne parlaient pas, comme le temps que Robert avait passé à Montréal pour ses études. Pour Louise, ces cinq années n'avaient pas existé. Il n'était jamais question non plus de la correspondance qu'il entretenait avec son frère, ni des livres qu'elle le voyait lui poster. Louise n'aimait pas les gens qui partaient. Elle s'en méfiait.

Lorsque son frère passait quelque temps chez eux, elle l'intégrait dans sa vie quotidienne, faisait le marché mais ne le questionnait pas. S'il parlait de ses voyages, de la Californie, elle devenait tendue. Toute sa famille à elle était installée dans le même quartier. Elle connaissait par cœur les cuisines de ses sœurs, la couleur de chaque rideau, chaque meuble. Elles vivaient toutes dans des maisons sans secret.

Robert se leva et se dirigea vers l'ascenseur avant la cohue du début des cours. Toutes les portes de ses collègues étaient fermées. Il s'assit derrière son bureau, s'installa et se mit à attendre, encore. Il entendrait des pas dans le corridor, des étudiants viendraient cogner à sa porte à la recherche d'autres collègues et il y aurait des bruits, des bruits qu'il connaissait: l'ascenseur qu'on appelle, les téléphones qu'on décroche, les voix derrière les portes entrouvertes.

Il pensa à son frère, au voyage silencieux qu'ils faisaient ensemble lorsqu'il venait passer quelques semaines. Ils prenaient la voiture et partaient pour deux jours avec un tee-shirt de rechange. Ils refaisaient toujours les mêmes itinéraires, une sorte de reconnaissance des lieux. Ils empruntaient d'abord la route du petit parc qui les conduisait dans Charlevoix. Ils s'arrêtaient ensuite sur le quai à L'Anse-Saint-Jean, dînaient de hot-dogs et de frites et achetaient, s'il faisait vraiment chaud, du coke froid en canette qu'ils mettaient à l'abri du soleil sous la banquette avant de la voiture. Ils mangeaient silencieux et regardaient l'anse s'enfoncer entre deux montagnes. À marée basse, ils marchaient dans la batture jusqu'au bord de la rivière. Puis ils reprenaient leur chemin, traversaient Petit-Saguenay, sentaient les caps des deux côtés de la route se refermer sur eux et cherchaient ensemble la rivière à saumons qui traversait le village. Ils rentraient ensuite dans les terres et se dirigeaient vers La Malbaie. C'est là qu'ils passaient la nuit dans un motel *cheap*, près du pont. Il restait toujours des chambres à louer même à la haute saison. Ils faisaient tout ce trajet en silence, sachant à l'avance où ils s'arrêteraient et ce qu'ils contempleraient, mais le paysage les surprenait chaque fois. C'était toujours plus grand et plus immense que dans leur souvenir. Ils sentaient qu'il leur fallait de la force pour prendre toute cette beauté, une force qu'ils puisaient dans leur silence.

Dans ces voyages, son frère et lui prolongeaient les promenades qu'ils faisaient enfants. Ils continuaient d'être silencieux. Enfants, ils se taisaient. S'ils avaient parlé, ils auraient pu se trahir et leur mère aurait deviné qu'ils étaient descendus au Saguenay, comme elle disait. Ils se taisaient encore et Robert ne savait pas pourquoi. Il ne connaissait pas d'autre manière de regarder le fleuve : se tenir debout et se taire.

Le deuxième jour, ils passaient souvent une partie de leur temps sur la plage à Baie-Saint-Paul. En s'éloignant un peu du quai, on pouvait être tranquille. Ils reprenaient la route vers la fin de l'après-midi, passaient sur leur gauche le village de Petite-Rivière-Saint-François, où ils ne s'étaient rendus qu'une fois. Ils continuaient ensuite vers Québec où ils allaient prendre une bière à une terrasse tranquille. Ils repartaient à la brunante pour ne pas arriver trop tard à Chicoutimi.

Il pensa encore à la lettre de son frère. Elle n'était pas comme les autres.

En ville, il y a de plus en plus de monde.

Je passe mes journées sur un ancien quai de bois qui s'avance très loin dans la mer. Il a dû servir jadis les bateaux, mais c'est devenu un immense stand à hot-dogs et à fruits de mer. Je mange des calmars frits engloutis sous un amas de ketchup et de jus de citron. Je jouis lorsque tout ce goût acide déferle dans ma bouche jusque dans ma gorge.

Je porte un coupe-vent. Il fait froid, éloigné comme ça dans la mer. Les adolescents jouent pendant des heures aux *wargames* électroniques dans des hangars aménagés. Le bruit est infernal. Ça rebondit sur le bois et ça fait trembler tout le quai. Cela surprend lorsqu'on arrive, et puis on s'habitue. Toutes ces vibrations créent un drôle d'effet et se mêlent aux odeurs de nourriture et de poubelle. On dirait que le quai est en vie.

J'essaie d'étirer la journée le plus longtemps possible, mais le jour tombe encore tôt, et très vite la masse noire de la mer devient imperceptible à l'horizon. Alors je rentre. Je mange mon plat congelé et j'essaie de lire. Je suis moins angoissé qu'au cours des derniers jours, mais je n'arrive plus à me concentrer. Je reste avec des personnages et des mots dans la main sans histoire. Je suis incapable de retenir l'histoire. Je dois souvent recommencer des chapitres et cela m'embrouille encore plus.

Je dors mal. Une vision revient tout le temps; ce n'est pas un rêve, c'est une image. Une tête de chien blanc à poils ras qui apparaît sous des phares de voiture. Enfant, j'ai vu cette image des dizaines de fois. Nous allions souvent à la ferme d'un oncle et un des chiens du voisin avait pris l'habitude de prendre les voitures en embuscade. Nous ne le voyions jamais venir, nous ne l'entendions pas non plus. Sa tête apparaissait et nous freinions, étonnés de le voir surgir. Je m'en souviens bien. Même si nous savions qu'il allait apparaître, il nous surprenait toujours.

Depuis que le propriétaire est venu me demander de déménager, je ne suis plus un homme tranquille. Je n'avais jamais pensé à cela avant, mais tout ce que j'ai voulu être, c'est un homme tranquille. Un homme qui ne transpire pas pour un oui ou pour un non, comme je l'ai fait ces derniers jours. Un homme tranquille, c'est un homme assis dans un restaurant de terminus d'autobus en train de savourer du café dans une grosse tasse de verre lourd qu'il peut bien sentir dans sa main et qui a déjà payé son billet. C'est un homme qui sait que posséder les clés d'une chambre, dans n'importe quelle ville du monde, fait de lui un roi.

J'ai été un homme tranquille; je ne le suis plus.

Un homme tranquille ne pense qu'au jour qui passe. Il ne se morfond pas à cause d'une tête de chien blanc qui surgit sous les phares. Il ne pense pas non plus à d'autres taches blanches sous la lumière, comme le dos de son père en camisole, lisant le journal la nuit à la lueur du néon de la cuisinière électrique. Un homme tranquille ne pense jamais à cela; ou il marche devant lui dans une ville qu'il connaît et se sent chez lui, ou il marche dans une ville inconnue en cherchant un endroit pour dormir avec, suspendu sur son cœur, l'argent qu'il a gagné pendant l'année.

Trois ans maintenant que je passe l'hiver ici parce qu'on m'avait dit qu'il faisait plus chaud et aussi à cause de la vision des chevaux maigres que je ne pouvais plus endurer.

Au nord de la Californie, la mer est plus belle, plus claire. En hiver, les plages sont désertiques. J'y avais passé des heures à lire. Puis il y a eu cette histoire de chevaux abandonnés. Tout le monde sillonnait la campagne pour en retrouver. On n'arrêtait pas de passer des images à la télévision. C'était insupportable. Un des gars qui habitait le même chalet que moi avait écrit un poème sur des squelettes lumineux. Il avait collé une photo montrant des chevaux dont les côtes luisaient sous le soleil. Je ne pouvais plus me déplacer dans les terres sans y penser. J'avais souvent écrit à mon frère pour qu'il vienne. Je suis certain que c'est un des deux endroits dans le monde qu'il faut avoir vus : la côte nord de la Californie et le désert de l'Arizona. Les paysages impressionnent par leur silence. Les collines sont desséchées. Il ne pousse qu'une herbe courte qui jaunit tout de suite au soleil, et la mer est partout, sous des caps hauts de centaines de pieds. Par beau temps, on peut voir des champs d'éoliennes agitant leurs bras face à la mer. C'est le bout de la Terre, le bout du continent. Les hommes le savent. Cela leur donne une certitude.

Je ne me souviens plus quand j'ai décidé que je voulais être un homme tranquille, mais il y a longtemps. J'étais encore enfant et les histoires de petite ville me hantaient. La mère s'inquiétait. Mon frère et moi savions que nous ne viendrions jamais à bout de son inquiétude. Nous étions toujours silencieux, gardant nos excursions au Saguenay secrètes. Elle avait peur et, même si nous étions enfants, nous savions qu'elle avait peur de tout ce qui était dit. Chaque nouvelle histoire qui circulait sur les voisins la rendait plus inquiète. J'imagine que c'est là que j'ai souhaité devenir un homme tranquille. Même enfant, je savais qu'il fallait partir. La mère agissait comme si tous les murs de la maison étaient transparents et que tout le monde aux alentours pouvait voir à l'intérieur.

Mon frère et moi, nous passions notre temps à nous sauver dans le bois qui bordait le quartier et qui semblait à l'époque une immense forêt. Les jours où nous nous sentions braves, nous allions au bord du Saguenay faire le tour des chalets. Nous observions quelque temps pour voir s'il y avait du monde. Si le chemin était libre, nous allions voir par les fenêtres l'intérieur des habitations. Nous pouvions y rester des heures. C'était notre occupation préférée. Nous connaissions l'intérieur de chaque camp. Il y avait plein d'objets anciens, des appareils de cuisine chromés, des murs de toutes sortes de couleurs, des cadres montrant le Sacré-Cœur sur fond turquoise. C'était beau et violent.

Le Saguenay avait une odeur âcre. Nous disions que c'était à cause des égouts qui coulaient non loin de là. Nous allions observer tous les objets bizarres qui allaient se perdre dans le fond de l'eau. Puis nous remontions silencieux, contents de notre journée.

Je pense parfois que la mère est moins inquiète. Peut-être est-ce la distance. Il me faudrait vivre plus près d'elle pour en être certain. Elle et mon père ne sortent que pour les courses et vont parfois à l'église assister à des funérailles. Lorsque j'y passe quelques jours, je dors dans une chambre où ils ont installé les deux lits de bois brun que nous occupions, Robert et moi. Ils étaient vite devenus trop petits et nos pieds dépassaient à travers les barreaux de bois. Des pieds d'homme dans des lits d'enfant. Cette image me troublait.

Robert venait de rentrer. Louise préparait le souper en écoutant les nouvelles sur la petite télévision du comptoir. Elle était exactement à la même hauteur que la présentatrice. À cette heure-ci, toutes ses sœurs faisaient de même et savaient ce qu'elle apprêtait. Robert se sentait coupable. Il avait passé une heure dans sa voiture à surveiller les cabanes sur le Saguenay jusqu'à ce qu'il ne distingue plus que leurs ombres et parfois les éclairs produits par les feux allumés dans les poêles de fonte. De plus en plus de pêcheurs arrivaient. Ils avaient diffusé un reportage sur tout le réseau de télévision nationale. Tout le monde disait que cela serait bon pour les touristes, même ses collègues l'avaient répété à l'université.

Ce matin, il s'était mis à expliquer à ses étudiants que les médias créaient des régions imaginaires, puis, trop ému, il n'avait pas su comment le démontrer. C'était tombé à l'eau et son malaise l'avait suivi toute la journée. Les bars de la rue principale se travestissaient tous les six mois pour ressembler à ceux de la rue Saint-Laurent à Montréal. La dernière mode était aux grands espaces. La rue principale était bordée de grands espaces vides. Il trouvait cela angoissant.

Il pensa à nouveau à ses étudiants, à leur façon de s'habiller, à leur coupe de cheveux, à leurs croyances. Ils avaient une mentalité de banlieusards. Surtout, ne pas en parler à Louise, elle n'aimait pas ses histoires et ça tournait toujours mal. Surtout ne pas commencer, ne pas se mettre à reparler du reportage, ne pas dire que le reportage était faux, que ce n'était qu'un effort pour sauvegarder un folklore imaginaire avec des images choisies pour cela : le petit vieux du coin avec le plus fort accent. Le vieil homme cherchait ses mots et essayait de « bien parler ». Son malaise l'avait fait souffrir.

Robert prit place à l'extrémité de la table d'où il pouvait voir la télévision et les ombres que Louise faisait chaque fois qu'elle ouvrait le réfrigérateur. Ils ne parleraient pas. Ils ne parlaient presque plus lorsqu'ils étaient seuls. Ils ne discutaient que lorsqu'il y avait du monde : les sœurs de Louise et leurs maris. Dans un sens, lorsque ses beaux-frères étaient là, cela le soulageait. Il les laissait parler et Louise était de bonne humeur. Il se collait un peu sur le bord du mur avec sa chaise. La télévision était toujours ouverte et leur conversation se nourrissait de cela, de ce qu'ils avaient vu cette semaine, des accidents, des nouvelles. Ses beaux-frères avaient toujours agi avec lui comme si la vie, la vraie vie qu'ils vivaient, eux, ne le concernait pas. Probablement parce qu'il n'avait pas leur odeur. Un relent d'huile qu'ils conservaient même lorsqu'ils étaient lavés et changés. Un relent d'huile que les hommes conservaient en permanence et qui faisait d'eux des hommes. Un relent d'huile qui les exemptait de parler aux femmes, qui les faisait se reconnaître entre eux. Le même relent d'huile que son père avait encore parce qu'il allait tous les jours dans son garage même s'il n'avait rien à y faire; ou peut-être qu'il y allait pour cela, pour conserver cette odeur d'huile qu'il ne retrouvait pas chez ses fils. Il se demandait si ce n'était pas le relent d'huile dans la maison qui mettait Louise de bonne humeur, parce que les choses étaient enfin à leur place.

Ils avaient fait un mariage tardif. Louise était contente de se marier. Elle en avait assez des soirées avec les autres infirmières célibataires à ressasser toujours les mêmes histoires. Elle trouvait épuisant de conduire le soir, de perdre une partie de la veillée à surveiller son manteau de fourrure et de rentrer dans une auto froide. Elle habitait dans un immeuble à logements à deux pas de son travail. Tous les appartements étaient occupés par des infirmières. Elle détestait cela. C'était comme si elle ne quittait jamais les corridors de l'hôpital.

Lorsque Louise revenait de son travail peu après minuit, Robert était encore dans son bureau et en sortait lorsqu'il l'entendait rentrer. Il mangeait quelque chose avec elle, demandait s'il y avait beaucoup de monde dans son département, s'informait des malades dont elle avait fait mention puis allait se coucher avant elle; comme elle ne pouvait pas dormir tout de suite en rentrant, elle prenait un bain pour effacer les odeurs d'hôpital qui s'étaient collées à elle. Lorsqu'elle se couchait, il dormait. Il ne la touchait jamais. Un peu au début, et puis plus rien. C'était bien, il savait qu'elle ne l'aurait pas supporté. Elle n'avait jamais à s'inquiéter de cela comme il avait vu les sœurs de Louise le faire, le regard effrayé devant les bouteilles de bière alignées sur la table et qui présageaient l'ardeur possible de leur mari. Robert n'avait jamais insisté. Il n'insisterait jamais.

Il ne buvait pas beaucoup, un peu de vin avec Louise et une bière avec ses beaux-frères, qu'il ne finissait pas et dont il jetait le surplus dans l'évier à la fin de la soirée.

Il ne savait pas pourquoi, il avait envie de se lever et d'ouvrir la porte pour éventer la maison. Éventer, c'était un mot de sa mère. Il ne pouvait pas le faire. Ils étaient prisonniers de l'hiver.

Il y a de plus en plus de monde sur la plage. Dans un mois, ce sera l'été avec des températures de trente degrés. Aujourd'hui, il a fait plus chaud que d'habitude. Sur mon quai, les adolescents avaient enlevé leur chandail. Ils étaient tous en tee-shirt et beaucoup de vieux, tout au bout, pêchaient. Je suis le seul entre deux âges qui passe ses journées là. Je lis quelques heures. Parfois, je n'y arrive pas, je pose alors le livre à plat sur mes genoux et je le tiens de mes deux mains pour ne pas qu'il parte au vent. Je regarde les passants. Je suis toujours en état d'hiver. J'imagine les cabanes sur le Saguenay baignées dans la lumière du nord. Une lumière impossible à décrire. Je pourrais prendre un avion, mon frère viendrait me chercher et nous nous rendrions tout de suite au village sur la glace. Je marcherais lentement vers elles.

Nous serions silencieux.

Tous mes voyages avec mon frère ont été silencieux. Je n'arrête pas de penser à lui, aux livres qu'il m'envoie, aux lettres qui les accompagnent. Mon frère aime les livres et n'en parle jamais ailleurs que dans une classe à des étudiants indifférents. Je me demande si ça le fait souffrir.

Je croyais que l'arrivée des touristes me chasserait de la ville, mais cela ne s'est pas produit. Toute cette affluence me rassure. Je n'ai pas envie de partir. J'aime ce quai, ses vibrations continues, le goût acidulé des calmars. Je ne sais pas si je vais parler de mon quai dans ma prochaine lettre, du seul homme entre deux âges qui y vient. Je suis le seul aussi à porter un coupe-vent ancien modèle. Je m'en suis rendu compte en observant les autres. Ce quai n'est pas un endroit que fréquentent ceux qui sont sur la route. Ce quai est l'attraction de la plage. Il empêche d'être seul. Avant, je traînais mon sac bourré de livres dans un café du Old San Diego, un café répertorié dans les guides de voyage à la mode où se rendent ceux qui voyagent. Je connais ce café dans toutes les villes où je m'arrête. Je m'installe à une table et j'attends la rencontre. Ceux qui sont sur la route attendent la rencontre. Cela arrive, c'est prévu, écrit dans le guide touristique. On se connaît tout de suite. La règle est de se connaître. On résume son histoire vite, de façon concise : les pays visités, les langues parlées. Ce qu'on faisait avant la route. Je suis mal à l'aise de me remémorer cela ; les dernières fois que j'y étais allé, je m'étais senti trop vieux. Ceux que j'avais connus n'avaient pas continué avec moi. On doit arrêter la route à temps, sinon on ne voyage plus, on erre.

Le quai vibre.

Je pense que j'ai continué la route en me cachant, en devenant un locataire de motel. Je regarde autour de moi. Je respire fort, ça me rappelle une camisole blanche dans une cuisine. J'essaie de capter chaque vibration du quai. Cela m'empêche de penser. Je serre entre mes deux cuisses le livre que j'ai apporté. Je n'aime pas l'image de cet homme en coupe-vent blanc, les épaules un peu courbées et qui respire fort.

Robert colla son dos contre le mur. Il sentait la chaleur du poêle juste derrière lui. Il n'était pas sorti aujourd'hui. Il faisait trop froid. Il passait souvent des heures assis, immobile, face à son bureau. Il attendait. C'était sa place dans la maison. Là ou devant le poêle à bois. Il avait écrit une lettre à Simon. Il n'était plus certain de vouloir lui poster. Il lui arrivait souvent de jeter ce qu'il avait écrit et de recommencer sur un ton plus neutre. Il avait l'impression que ses lettres n'avaient jamais le bon ton.

Il se relut.

Simon,

Évidemment, je vais te parler de l'hiver. Je ne peux pas faire autrement. Il n'y a rien d'autre. Je suis installé dans mon bureau. C'est l'endroit le plus confortable de la maison à cause du poêle qui chauffe de l'autre côté de la cloison, juste derrière mon dos. Hier, Louise a descendu la télévision et s'est installée ici pour la soirée. En haut, il fait toujours un peu frisquet, surtout lorsque le jour tombe. Je l'ai entendue se plaindre à toutes ses sœurs que la maison était froide à cause des grandes fenêtres et que, même si tout le monde me l'avait dit, je les avais fait installer quand même. Lorsqu'elle arrive de l'hôpital, elle a froid. C'est sa façon à elle de parler de l'hiver. Tout le monde en parle. Même la mère a téléphoné alors qu'elle n'appelle jamais la semaine où je passe les voir. À la météo, ils appellent ça « un avertissement de froid intense ». Il fait un froid intense et toute notre énergie passe à résister.

J'ai été surpris de voir que tu étais encore à San Diego. Quand penses-tu remonter vers le Nord ?

Je suis passé à la nouvelle maison cette semaine. Tu vois, cela fait des années qu'ils ont emménagé, et je l'appelle toujours la nouvelle maison. J'ai passé une demi-heure assis entre la porte d'entrée et la table de la cuisine. La mère a installé des gros morceaux de carton brun qui font un chemin jusqu'à la salle de bains, parce que notre père refuse toujours d'enlever ses bottes chaque fois qu'il rentre pour se réchauffer ou boire une tasse de café. Il fait comme s'il travaillait toujours. Il n'a rien changé. Le garage est rempli de vieilles pièces de voitures inutilisables. Il est couvert d'huile de la tête aux pieds.

Je ne sais plus si je t'ai parlé du bateau brésilien qui est accosté au port et enseveli sous le verglas. Il est toujours à quai. Ils attendent que le temps soit plus clément pour repartir. Dans le golfe, il y a des dizaines de navires immobilisés. C'est un des pires hivers depuis longtemps. Les gardes-côtes transportent des vivres par hélicoptère. Dès qu'un navire se libère, un autre se coince. La télévision a diffusé toutes sortes d'histoires sur le délabrement des bateaux. Plusieurs n'ont pas l'équipement adéquat pour naviguer dans des eaux si froides. On a vu des marins nu-pieds dans des sandales, marchant sur les ponts. À Sept-Îles et dans le bas du fleuve, les enfants ne se rendent plus à l'école. Louise et moi regardons les nouvelles pour voir à quel point il fait froid. Tu vois : je parle encore du froid. Il n'y a rien d'autre à dire. Mes étudiants lisent un livre d'hiver. Un livre qui parle d'un carnaval de village, d'un homme qui élève des veaux. Il attend sa mère qui passe ses hivers en Floride. Une histoire de silence, de redoux, de bancs de neige, de passage de charrue dans un rang après la tempête. Je n'ai jamais rien lu de si beau sur l'hiver. Je te l'envoie.

Mes lettres sont plus rapprochées, j'imagine que c'est à cause de cette année passée sans que tu viennes. C'est la première fois que tu sautes une année. Je n'ai pas fait le voyage dans Charlevoix comme nous avions l'habitude de le faire. Je me suis rendu à L'Anse-Saint-Jean une fois, avec la mère, parce qu'elle me l'avait demandé. Elle a dit qu'elle ne reviendrait plus, qu'ils étaient en train de saccager le village. Elle est restée à l'arrière de la voiture sans sortir. Louise lui a passé ses hot-dogs et son Seven-Up par-dessus le siège de la voiture. Elle n'a même pas cherché à voir la rivière et le pont. Elle a refusé d'aller sur le quai. Nous avons passé une journée triste. Louise, en rentrant, a dit que la mère exagérait.

J'attends des nouvelles.

Robert

Deux lettres en moins d'un mois... Il n'avait jamais écrit de façon aussi rapprochée et encore, c'était davantage des mots pour accompagner les livres qu'il lui envoyait. Il réagissait à la dernière lettre de Simon. Il n'avait pas reconnu sa voix. En le lisant, il n'arrivait plus à l'entendre, à reconnaître les endroits où il aurait respiré. Et cette allusion à l'enfance. Robert et lui n'en parlaient jamais. Quelque chose avait changé mais il ne savait pas quoi. Il n'avait plus envie de lui poster la lettre. Il la trouvait déplacée, trop longue, et cette histoire de L'Anse-Saint-Jean lui avait échappé.

L'enfance encore.

C'était juste une promenade ordinaire, mais il y avait pensé longtemps. La première fois depuis son enfance qu'il ne voyait pas sa mère avancer de quelques pas sur le quai. Elle ne se rendait jamais au bout parce qu'elle avait peur du Saguenay. «Pas trop proche du Saguenay.» Sa mère répétait cette phrase lorsqu'elle les voyait se diriger lui et Simon vers la batture pleine de vase. À leur retour, il faudrait étendre une couverture à l'arrière de l'auto pour qu'ils ne tachent pas les sièges. «Pas trop proche du Saguenay» et elle restait debout, une main en visière à scruter la mer et le village. À L'Anse-Saint-Jean, dans son enfance, on disait la mer. Vers midi, le quai se remplissait de monde. Elle leur donnait leur repas pêle-mêle, friandises et sandwichs en même temps, et ils pouvaient boire autant de liqueurs qu'ils voulaient. Elle était trop préoccupée par les gens alentour pour se soucier d'eux. Ils partaient dans le village, allaient jusqu'au pont couvert, descendaient à la rivière. Pour eux, c'était un autre espace de jeu. Pas le lieu sacré que c'était devenu depuis. Ils étaient trop petits pour apprécier la tranquillité des maisons, l'immensité de la batture. Leur mère allait se promener dans le cimetière près du presbytère. Elle n'entrait plus dans l'église depuis des années, elle y avait trop vu de tombes. Elle disait qu'elles lui barraient le chemin. Robert n'osait pas non plus aller à l'église. Il avait peur des tombes qui barrent le chemin. Mais il avait marché souvent dans le cimetière, en lisant les inscriptions sur les vieilles pierres tombales et en reconnaissant chaque nom, parce que sa mère les avait déjà prononcés. Il ne connaissait plus personne de L'Anse. Il n'y avait plus de famille proche. Sa mère les conduisait toujours, son frère et lui, devant la maison de son enfance. C'était la plus grosse du village. Elle servait maintenant d'hôtel. Pendant des années, elle avait été abandonnée. Les fenêtres étaient placardées. Sa mère leur désignait les pièces de sa main. Puis la bâtisse avait été transformée en auberge. Sa mère n'avait jamais voulu y entrer, mais elle était contente que la maison revive. La dernière fois, lorsqu'il l'avait reconduite chez elle, elle avait dit qu'elle n'y retournerait plus. Enfant, il s'en souvenait, c'était le seul voyage que son père consentait à faire.

«Pas trop proche du Saguenay.» La phrase lui revenait. Sa mère vivait soumise à la rivière, la regardant, la respectant, sachant que cela était beau, qu'il n'y avait probablement rien de plus beau au monde. S'il y avait un accident, des noyés, elle disait: «C'est le Saguenay.» Ça expliquait tout: les noyades, le vent et les naufrages que lui racontait sa grand-mère lorsqu'elle était petite. Elle jetait toujours les dépliants touristiques à la poubelle. Elle disait que les photos ne montraient rien: cela ne ressemblait pas à cela. Robert était toujours mal à l'aise devant les photos du fjord.

Un jour, un de ses étudiants lui avait raconté qu'il faisait du ski de fond seul dans un champ sur le bord du Saguenay et qu'il était si seul et que c'était si grandiose qu'à chaque fois qu'il passait là, il interpellait Dieu à voix haute pour le narguer, pour voir s'il jaillirait de là, de cette beauté. Robert avait pensé à cette histoire pendant longtemps, ne l'avait jamais racontée à personne, surtout pas à Louise. Elle aurait haussé les épaules comme elle le faisait toujours lorsqu'il était question du Saguenay, de cette passion qu'il avait pour la rivière. Elle ne disait rien, mais elle avait toujours peur qu'il raconte ces histoires-là à sa famille. Parfois, c'était plus fort que lui, il glissait une phrase ou deux sur la rivière, il disait : « Le Saguenay est plus haut que d'habitude » et elle se calait dans son fauteuil, respirait et attendait que cela passe. Il en était venu à contempler la rivière en cachette sur le chemin de terre et à rentrer à la maison vaguement coupable d'avoir passé près d'une heure dans une auto stationnée, le moteur en marche, n'étant même pas capable de se livrer vraiment au plaisir de la contemplation.

Il n'était plus un enfant suivi de son frère qui pousse une bicyclette dans une côte pour monter jusqu'à un belvédère interdit, mais un vieil homme inquiétant sur un chemin de terre. Un vieil homme inquiétant. À rester ainsi près de la rivière et à s'y coller, il était peut-être resté un enfant poussant une bicyclette dans une côte. C'était de cela qu'il se sentait le plus près, c'était cette image-là qui lui venait. Lui et son frère debout, à côté de leurs bicyclettes, montant et descendant les côtes trop abruptes parce qu'il ne fallait pas tomber ; s'ils étaient tombés, ils auraient passé des semaines prisonniers dans la cour et cela aurait été la pire des punitions : ne pas aller au Saguenay.

Ils avaient toutes sortes d'expéditions. Ils partaient avec les autres enfants du quartier et se racontaient des histoires de party et de filles déshabillées dans des voitures. Il souriait maintenant de toute la précision de ces histoires et, à force de se les raconter entre eux, ils s'étaient façonné tout un savoir. Un savoir qui scellait les amitiés.

Les petits chalets sur le bord du Saguenay étaient les endroits où se passaient les choses extraordinaires dont ils entendaient parler. Lorsqu'ils en faisaient le tour durant le jour, en plein soleil, ils essayaient de trouver des traces de ce qu'ils avaient entendu dire, mais il n'y avait que des restes de feux de bois et des bouteilles de bière fracassées sur les rochers. Parfois, ils en trouvaient intactes et les fracassaient à leur tour.

C'étaient des gestes de grands. Cela se faisait en silence.

Toutes les images de l'enfance lui revenaient, mais il n'arrivait jamais à se rappeler ce qu'il disait à Simon. Peut-être qu'entre eux ils ne se disaient rien. Il se souvenait des conversations avec les autres au pied du rocher, parce que c'était l'endroit où ils se réunissaient pour parler, pour raconter ce qu'ils avaient vu ou entendu des plus vieux et pour le partager. Mais il ne se souvenait pas des conversations avec son frère. Ils connaissaient tous les deux l'inquiétude de leur mère, le silence dans la maison, les soupirs de leur père, sa respiration, son dégoût pour la démarche du plus jeune. Il ne supportait pas de le voir boitiller comme il le faisait. Cela le dégoûtait. Sa mère et lui avaient tendance à marcher devant pour protéger Simon, pour ne pas entendre son père soupirer. Lorsqu'il travaillait de nuit, leur père était là à leur retour de l'école ; ils contournaient les angles de la fenêtre de la cuisine pour qu'il ne les aperçoive pas. Simon avait développé une démarche pour atténuer son boitillement. Il sautait vite d'une jambe à l'autre comme s'il courait. Il marchait encore comme cela, en se dépêchant pour que cela ne se voie pas. Et c'était vrai qu'il fallait être attentif pour déceler la petite infirmité. Mais il souffrait toujours de le voir marcher, à cause des efforts du petit garçon pour tenter de se cacher, pour se protéger du dégoût de son père. Le dégoût pour le chat infirme de la portée.

J'ai passé la journée à parler au tailleur de fourrure. Je l'ai rencontré sur le quai et il m'a dit qu'il ne m'avait pas appelé parce qu'il croyait que j'étais parti. Je ne l'ai pas cru. Le tailleur de fourrure sait tout du Québec même s'il vit toujours à l'extérieur. Il sait tout à cause des groupes qu'il accompagne. Il a vu que je ne savais rien de ce qui s'y passait. Je ne connaissais que les livres que mon frère me faisait parvenir. Le tailleur de fourrure ne lit plus en français depuis longtemps. Il connaît bien la littérature américaine. Il n'assiste jamais aux activités de groupe le soir. Il lit. Je lui ai dit qu'on faisait de même sur les chantiers. Plusieurs gars lisaient aussi, c'était surprenant, il y en avait même qui se mettaient à lire et qui n'avaient jamais ouvert un livre de leur vie. Il m'a posé des questions sur les chantiers, comment je faisais pour me trouver du travail, si ça payait, où j'habitais entre les contrats. Je ne sais pas ce qui m'a pris, mais je lui ai raconté l'histoire du YMCA. Je ne l'avais jamais racontée, ça m'est revenu comme ça, peut-être à cause du français que je ne parle jamais. J'ai parlé d'un Noël que j'avais dû passer à Calgary à cause d'un contrat plus long que d'habitude. Nous étions peut-être quatre ou cinq à attendre la réouverture du chantier. Des bénévoles avaient organisé une fête. Il n'y a rien de pire qu'une fête forcée. Je lui ai dit que j'avais eu l'impression d'être malade. Je n'étais plus un homme seul mais un homme malade. Nous étions tous attablés à différents endroits et les bénévoles nous avaient obligés à occuper la table du centre. Ils s'affairaient à nous gaver et à nous remettre des cadeaux neutres comme des savons de toilette pour homme et des paires de chaussettes noires. Je lui ai raconté que je n'avais pas ouvert mon cadeau et qu'il était resté emballé devant moi. Après avoir mangé, je l'avais laissé sur la table intentionnellement et une des femmes m'avait poursuivi jusque dans le couloir pour me le remettre. Je lui avais crié en anglais que je n'étais pas un malade mais un homme seul. À la fin de mon histoire, il s'est levé et il est allé chercher deux bières américaines qui se boivent vite comme des liqueurs douces. Il a dit qu'il passait sa vie dans des fêtes forcées et qu'il savait ce que c'était. Il a dit que tous les touristes en groupe sont dans des fêtes forcées et que c'est pour cela qu'ils reviennent exténués. Après, on a arrêté de parler un bon bout de temps et on a regardé les vieux se prendre en photo dans leur pantalon blanc.

Plus tard, il m'a rapporté ce qu'il avait vu à la télévision. On avait montré des centaines de Mexicains qui attendaient à la frontière. Il y en avait même qui étaient suspendus au mur de séparation des autoroutes. Il a dit que ce qui était surprenant, c'était leur lenteur. Il ne savait pas comment ils pouvaient résister au bruit de la circulation et à la chaleur. On a attendu que le soleil se couche puis on est rentrés ensemble à mon motel. Il a regardé dans la boîte de livres et en a choisi deux. Il a dit que cela allait faire drôle de lire en français. Il est reparti tout de suite et je suis sorti avec lui pour aller acheter mon repas.

En entrant dans le supermarché, je me suis mis à transpirer. Je savais que j'allais encore avoir cette idée. J'avais eu quarante ans l'été d'avant. J'étais vieux. J'avais pensé que cette histoire ne me hanterait plus. Mais elle revenait. J'ai cru longtemps qu'un jour, je remonterais vers le Nord avec une seule idée en tête. Je prendrais mon temps. À chaque station d'autobus, je raffinerais mon plan. J'arriverais tranquille. Je n'aurais plus la même voix. Je ne prononcerais qu'une phrase. Je me dresserais de tout mon long. Je prendrais mes mains qui sont fortes d'avoir toujours soulevé des charges lourdes. Je les tendrais vers mon père, répéterais ma phrase et lui tordrais le cou.

Je sors toujours épuisé de ce fantasme. Je me sens ridicule. Je sais que je ne le ferai jamais. J'avais passé l'âge. J'avais des idées d'adolescent attardé. J'avais honte. J'étais lâche.

Le tailleur de fourrure se pointe au motel tous les matins et apporte de la bière qu'il achète au *liquor store* parce qu'elle est moins chère. Nous nous rendons au quai ensemble. Il ne peut pas voir un Mexicain sans me dire qu'il y en a de plus en plus, qu'ils sont plus forts que la CIA, que toute cette surveillance ne donne rien. Je fais oui de la tête et je le laisse compter ses Mexicains. Je sens les vibrations du quai dès que je monte la première marche. Cela me déséquilibre un peu. Je sens ma jambe gauche qui a du mal à suivre. Le tailleur de fourrure m'a parlé de ma jambe et, pour la première fois, je n'ai pas menti. J'ai dit le mot infirme et cela m'a soulagé. J'ai tout raconté. C'était de naissance, une jambe plus courte que l'autre. J'ai ajouté que toute la famille disait chétif et que lorsque je les voyais arriver, surtout les frères de mon père, je montais dans ma chambre.

On était encore dans la vieille maison et, même si j'étais en haut, je les entendais dire chétif comme ils le disaient des bêtes.

La mère n'a plus eu d'enfant après moi. La seule fois où mon frère et moi l'avons entendue crier dans la chambre des parents, c'est le mot chétif qu'on a entendu. Elle ne voulait plus de chétif.

J'ai dit au tailleur de fourrure que je mentais toujours, je disais que j'avais eu un accident. De toute façon, d'habitude on ne le remarquait pas à cause de la démarche particulière que j'avais développée pour le cacher. Le tailleur de fourrure a eu une sorte de hochement de tête qu'il a toujours lorsqu'on lui parle. J'ai laissé tomber ma jambe gauche plus fort sur le bois du quai et j'ai aimé ce bruit.

Je lui ai parlé d'un roman de Harrison que j'avais lu et que j'avais conservé. Je voulais lui faire lire absolument, mais il fallait qu'il me le remette. C'était important. J'ai dit que Harrison écrivait des romans sur la vie que j'aurais menée si je n'avais pas quitté le Saguenay. J'aurais acheté un camion et j'aurais travaillé de temps en temps, selon les saisons. J'aurais loué un chalet dans le bois à une vingtaine de milles de la ville et une fille serait venue s'installer avec moi. Elle aussi aurait eu son camion, parce qu'on ne peut pas vivre sans ça dans le nord.

Je lui ai raconté que dans ce roman, il y avait des histoires de chasseurs ivres transportant des têtes de chevreuil sanguinolentes sur le devant de leur jeep.

J'ai dit qu'une fois, avec mon frère, on avait goûté au sang d'un orignal qu'un de nos oncles avait tué. C'était un dimanche, tous les hommes étaient sortis dehors en chemise blanche malgré le froid et avaient entouré le camion. Ils parlaient de la bête, évaluaient son âge en caressant le bois de son panache, discutaient de son poids et racontaient comment ils avaient fait boucherie : les femmes avaient installé des couvertures opaques devant toutes les fenêtres. Je ne savais pas pourquoi, mais la boucherie était de l'ordre du tabou et, surtout, il fallait que tout le sang soit lavé, qu'il n'en reste aucune trace. Lorsque les hommes étaient retournés dans la maison, Robert et moi avions léché le sang sur le capot.

J'avais le souvenir d'un goût de sel. C'était salé.

Tous les héros de Harrison étaient des journalistes ou des écrivains alcooliques exilés depuis des années à New York et qui revenaient dans le Michigan sans savoir pourquoi. Ils s'installaient dans un hôtel de petite ville où ils buvaient toute la journée du whisky pour se rendre compte que tous ceux qui étaient restés avaient eux aussi leur histoire et que le Michigan ne préservait pas de la vie. J'avais tendance aussi à croire que le Nord préservait de la vie, à imaginer que si j'étais resté là-bas, il ne se serait rien passé d'autre que ce que je venais de lui raconter. Le tailleur de fourrure voulait lire les livres de Harrison en anglais.

Nous nous étions dirigés vers le même banc que d'habitude, il était encore tôt, il y avait surtout des vieux sur le quai. Nous avions acheté un café jumbo dans des verres jetables. Nous ne buvions de la bière qu'en fin d'après-midi. Le tailleur de fourrure avait un sac carré qui gardait les aliments froids ou chauds selon le cas. Il l'avait acheté au supermarché. Chaque fois qu'il l'ouvrait, on criait au miracle. Le tailleur de fourrure ne parlait pas beaucoup, comme s'il n'avait pas d'histoire, comme si les histoires ne pouvaient venir que du Nord.

Pourtant, il était en exil depuis des années et il n'y a pas d'exil innocent. Je savais que je m'étais sauvé d'une cuisine trop propre, d'un homme qui n'avait pas dormi depuis trente ans et d'un mot. Tout cela me suivait un peu en arrière comme ma jambe gauche. Il n'y avait plus de raison de cacher ma jambe sous cette démarche exigeante qui m'avait sûrement rendu encore plus infirme. Tous les rebords de mes chaussures s'usaient de la même façon et ils s'usaient vite; cela rendait ma démarche plus périlleuse encore. Je passais mon temps chaussé de grosses bottes de travail même quand il faisait très chaud. Cela me permettait de marcher longtemps; sinon, je m'épuisais.

Le tailleur de fourrure portait des chaussures de cuir, il était élégant, très mince, très brun. Il était maigre, mais pas d'une maigreur qui agressait, non, sa maigreur le rendait plus élégant encore. Il était toujours vêtu d'un bermuda assez long, beige, et d'une chemise de la même teinte. Il portait une montre-bracelet noire que je trouvais trop féminine pour un homme. Cela lui donnait des mains de femme. Nous devions faire un drôle de tableau: un homme chétif à la démarche incertaine et un homme élégant passant leurs journées sur le quai. La plupart du temps, nous nous taisions, sauf quand je parlais du Nord. Le soir, quand je rentrais au motel, je me disais que le tailleur de fourrure devait avoir une histoire.

« C'est l'hiver que c'est dur. » Le garagiste venait de prononcer la phrase qu'il prononçait toujours lorsque Robert s'arrêtait le matin. Il devait être son premier client. L'homme portait un habit de ski-doo couvert de taches d'huile. Il n'avait ni gants ni mitaines. La peau de ses mains collait à ses os. Il avait des mains comme tous les hommes en ont dans le Nord : des mains dures, des mains à la peau séchée par le froid, des mains tachées d'huile à moteur qui ne disparaît jamais. Des mains noires.

Il n'y avait personne sur la route. Ce serait une journée claire, froide, sans vent, avec une lumière éblouissante. Le soleil était rose à l'horizon. Robert pensa à la lumière qu'il y aurait toute la journée, une lumière qu'on ne pouvait pas soutenir du regard, une lumière fabuleuse. Une lumière qu'on devrait contempler tout le jour sans rien faire. En longeant le bord du Saguenay, il la verrait arriver du nord, éclatante, sans merci.

Les voitures des concierges étaient stationnées comme à l'accoutumée. Robert se gara près de celle de son collègue qui était à sa place habituelle. La voiture était recouverte de givre. Il lui sembla apercevoir un homme penché sur le volant. Robert klaxonna, l'homme n'eut pas de réaction. Il s'éloigna avec sa voiture et se rangea un peu plus loin. Il klaxonna encore. Le bruit du klaxon retentit dans le parking désert. Il ferma le contact, sortit, fit le tour de la voiture, se rapprocha un peu. Il avait du mal à voir à cause du givre. Il frappa dans la fenêtre. L'homme ne bougea pas. Il rentra téléphoner. Il prit l'annuaire, chercha le numéro de la Sûreté du Québec. Au bout du fil, la voix était endormie. Robert dit qu'il venait d'arriver au stationnement de l'université, un homme était penché sur son volant, sa voiture était givrée et il avait vu qu'il ne réagissait pas. Le policier lui dit de ne toucher à rien. Robert dit qu'il avait peur. Cela lui échappa. L'homme lui dit qu'ils seraient là tout de suite. Il le dit au pluriel.

Robert attendit.

Il resta dans le hall d'entrée, jusqu'à ce qu'il aperçoive la voiture des policiers. Ils étaient deux, ils n'avaient pas actionné les gyrophares. Robert se dirigea vers eux, il était mains nues et ne sentait pas le froid. Il dit qu'il n'avait parlé à personne. Un des policiers lui tendit la main. Il se présenta, dit qu'il avait été dans la classe de Simon à la polyvalente. Robert ne s'en souvenait plus et lui dit : « Il y a longtemps. » Les deux hommes le laissèrent en retrait et se dirigèrent vers la voiture. Ils marchaient lentement. La portière du chauffeur n'était pas verrouillée. Ils ouvrirent la porte. Robert ne regardait pas. Il devinait chacun de leurs gestes au bruit qu'ils faisaient. L'un des hommes se rendit à la voiture de police, la mit en marche. L'autre le fit asseoir à l'arrière. Il commença à sentir de la chaleur. Ses mains étaient soudain douloureuses. Ils dirent qu'il s'était suicidé. Il avait une tempe percée d'une balle. Ils lui demandèrent s'il le connaissait. Robert se mit à parler de son collègue, de sa voix qui tremblait, de son inquiétude. Tout cela lui échappa.

Les policiers devaient faire venir un photographe, l'ambulance. Ils dirent qu'il était inutile d'avertir les gens à l'intérieur. Robert leur dit que les concierges allaient sortir bientôt, qu'ils mangeaient toujours après leur travail. Le policier déplaça la voiture de patrouille, la mit à angle droit, juste à l'avant de l'auto gelée. Robert pensa qu'ils savaient tout faire.

L'ambulance arriva sans gyrophare. Les policiers sortirent, Robert aussi. Il fallait attendre le photographe. Il arriva. Tout ça, c'était pour les assurances, la famille. Robert vit que la portière était ouverte. L'homme prenait des photos sous tous les angles. Un des policiers ramassa une serviette noire et un revolver. Les ambulanciers saisirent le corps. Ils n'arrivaient pas à le déplier. Ils le sortirent ainsi, une partie du tronc recourbé. Les concierges s'avancèrent, formèrent un demi-cercle à quelques pieds de la voiture de police. Les ambulanciers eurent encore du mal avec le corps. Un des deux laissa échapper un juron. La raideur du cadavre l'exaspérait. Ils durent ouvrir les deux portes pour le faire entrer. Robert vit le photographe du journal s'avancer. Il prit des photos de la voiture, des portes de l'ambulance qu'on refermait. Il eut le temps de prendre la forme du corps. Quelqu'un avait dû lui téléphoner de l'université. C'était une petite ville : appeler le journal était la première chose à laquelle on pensait, pour voir demain, pour être certain que cela s'était bien passé.

Tout le personnel de la cafétéria se tenait sur la porte de côté, les bras croisés. Robert ne savait même pas si on les avait prévenus. Ils avaient peut-être agi par instinct. Bientôt, il n'y eut plus rien à voir, les concierges retournèrent à l'intérieur en discutant. L'ambulance sans gyrophare, la police. Ils avaient compris tout de suite qu'il y avait un mort. Les policiers offrirent à Robert de le reconduire. Ils dirent que son collègue s'était peut-être suicidé la veille, son corps était déjà gelé. On avait dû ne pas faire attention à sa voiture, toujours stationnée à l'autre extrémité du parking. Ils viendraient chez lui pour les papiers, Robert leur donna son adresse, ils passeraient en fin d'après-midi. Ils auraient peut-être des nouvelles.

Il se retrouva seul dans le parking.

Il décida d'aller prendre son petit déjeuner dans un restaurant sur la grand-route. Il se rendit dans son bureau, écrivit un mot à la secrétaire, relut son message pour ne pas laisser de fautes. Il écrivit « absent pour quelques jours », il ne savait pas pourquoi. Les mots étaient venus d'eux-mêmes. Il pensa à la maison, à son bureau, au mur derrière lui qui était toujours chaud à cause du poêle. Il soupira et sortit.

Il ne prit pas le même chemin que d'habitude. Il emprunta le boulevard Talbot, puis le tronçon d'autoroute en direction de Québec. Ce restaurant où il aimait aller était le plus anonyme de la ville. Il y avait toujours beaucoup de monde. Des inconnus qui se dirigeaient vers la Côte-Nord, des camionneurs silencieux, des voyageurs. C'était un restaurant où les portions étaient grosses et la nourriture fraîche. On servait des déjeuners jusqu'à dix heures, le chiffre dix était souligné. Il ne devait pas être plus de neuf heures.

La serveuse s'approcha, elle ne le connaissait pas, elle n'avait rien à perdre. Elle était neutre comme il aimait que les serveuses le soient. Il commanda un déjeuner, *all dressed* avec saucisses. Il parla fort pour ne pas répéter. Elle était venue prendre la commande la cafetière à la main. Il poussa la tasse devant lui. Il ne la regarda pas s'éloigner. Il pensa qu'il pourrait être un voyageur comme les autres qui étaient là.

La serveuse lui apporta le journal en même temps que son assiette. Il le plaça devant lui, ouvrit la première page. Il ne lut pas. Il faisait semblant. Demain, à la page deux, il y aurait l'histoire du suicide racontée dans ses détails, et peut-être son nom. Il ne se souvenait plus si le photographe avait pris des photos des policiers et de lui, il espérait que non. Louise travaillait-elle de jour ou de soir ? Si elle était à l'hôpital, elle savait déjà qu'ils avaient trouvé un professeur suicidé dans le parking de l'université et qu'il était là depuis des heures. Sinon, elle allait l'apprendre tantôt par la radio régionale. Elle l'attendrait pour qu'il lui dise de qui il s'agissait. Il n'arrivait plus à se rappeler le nom de son collègue, les policiers l'avaient peut-être prononcé devant lui. Sans cesse lui revenait l'image d'un corps qu'on avait du mal à sortir d'une voiture.

Il mangea vite. Il essaya de nouveau de se souvenir du nom du mort, il n'y arrivait pas. Il se rappelait les interventions de cet homme à la voix tremblante lors des assemblées. Il retrouvait son propre malaise, revoyant le haussement d'épaules des autres collègues. C'était le seul professeur qui avait parlé publiquement des photos qu'il avait reçues par la poste lors de l'élection du recteur. Un des candidats s'était retiré après que des photos le montrant dans une orgie sexuelle eurent circulé. L'homme à la voix tremblante avait dit que cela était ridicule, qu'on devait tout faire pour trouver qui avait fait circuler ces photos et, si c'était possible, remettre l'élection à plus tard. Il se rappela être sorti de la salle à ce moment précis. Tout le monde ou presque à l'université avait vu les photos, mais personne n'en avait parlé. Le candidat au rectorat avait pris une retraite anticipée. Il avait déménagé. Tout le monde avait dit : « Il n'était pas d'ici de toute façon. » Cette phrase expliquait tout : le silence, la déviance, l'impureté.

Celui qui venait de se suicider n'était peut-être pas d'ici. De toute façon, il serait fixé dès la deuxième ligne du journal le lendemain, ou par Louise lorsqu'il rentrerait. Si l'homme était étranger, une partie du mystère résiderait là et on en parlerait moins longtemps.

Il devait rentrer, chauffer le poêle et, si Louise n'était pas là, l'attendre. Il passerait par la grand-route pour rentrer chez lui, il en avait pour vingt minutes tout au plus. Il laissa l'argent devant son assiette, chercha du regard la serveuse, fit un signe de tête et s'en alla.

Il avait mangé habillé, le manteau attaché. Il venait de s'en rendre compte.

La voiture n'avait pas eu le temps de trop refroidir. Il était épuisé comme s'il avait fait une longue route. La circulation était plus lente que d'habitude, c'était l'heure de l'ouverture des commerces. On était jeudi. Il devait faire des efforts pour se souvenir de la journée. Il avait hâte d'emplir le poêle de bois, d'allumer le feu. Il ne faudrait que du bois sec : il voulait qu'il fasse chaud vite. Peut-être qu'il dormirait un peu.

Robert était déjà fatigué à l'idée de devoir tout expliquer à Louise, à sa mère et peut-être même à son père. Si son père voyait son nom dans le journal, ce serait peut-être assez pour qu'il se lève de sa chaise. Robert ne pensait jamais à son père. Il s'exerçait depuis vingt ans à ne pas y penser, jamais. Il n'en parlait pas non plus. Il avait découragé toutes les tentatives de Simon jusqu'à ce qu'il n'en fasse plus mention, et voilà qu'il tremblait à l'idée qu'il allait s'adresser directement à lui au téléphone.

La voiture de Louise était stationnée dans la cour: elle ne travaillait pas aujourd'hui. Dès que Robert avait vu le rang et les grosses maisons luxueuses alignées dans la pente, tout lui était revenu. La veille, Louise était rentrée plus tard parce qu'elle était allée manger avec les filles après le travail et elles avaient parlé jusqu'à la fermeture de la rôtisserie. Elles avaient l'habitude de marquer chaque fin d'horaire de travail. Elle serait à la maison trois jours de suite. Robert espérait qu'elle n'avait pas laissé mourir le poêle. Il regarda la cheminée, une petite fumée claire s'en échappait. Louise avait dû oublier de remettre du bois depuis le matin.

Il gara sa voiture près de la sienne. La porte de la maison s'ouvrit. Louise lui fit signe d'entrer. Elle était encore en robe de chambre. Elle avait dû parler au téléphone avec une de ses sœurs. Il sortit de l'auto. Il entendit Louise dire qu'elle allait rappeler dès qu'elle aurait des nouvelles. Robert referma la porte et descendit immédiatement au sous-sol. Il cria qu'il chauffait le poêle. Il enleva son manteau et le suspendit derrière le poêle sur les crochets qu'il avait installés. Il avait gardé ses bottes. Il restait encore de la braise. Il emplit le poêle de bois sec, ouvrit la clé. Il remonta. Louise avait déjà mis le café au centre de la table.

Elle avait téléphoné à l'université pour lui parler, mais la secrétaire lui avait dit qu'il allait être absent quelques jours. Louise s'était présentée. La secrétaire lui avait raconté que c'était Robert qui avait trouvé le suicidé. Louise avait écouté les nouvelles: au bulletin de dix heures, ils avaient rapporté qu'un professeur de l'université avait été retrouvé sans vie et qu'il s'agissait probablement d'un suicide. Elle s'était demandé où Robert était passé et puis sa sœur avait appelé. Robert dit qu'il était allé manger. Il n'avait pas vu grand-chose. Il n'arrivait pas à se rappeler le nom de son collègue; pourtant, il le savait. C'était peut-être arrivé hier, au début de l'après-midi. Personne ne s'en était rendu compte. Le corps était gelé. Louise dit qu'à moins trente, cela ne prenait pas de temps à geler, qu'il l'avait peut-être fait cette nuit. Robert raconta qu'il avait vu un homme penché sur son volant. Ce qui l'avait inquiété, c'est que la voiture était recouverte de givre. Louise dit: «L'hiver, c'est dur, surtout février.»

Robert avait trouvé les policiers corrects. Il ne parla pas de l'inquiétude de son collègue, ni à quel point il était toujours «déplacé» lorsqu'il prenait la parole, ni du tremblement de sa voix. Louise n'aurait pas compris. Louise croyait toujours qu'on parlait trop. Elle était comme le père de Robert.

Robert eut un haut-le-cœur. Louise dit qu'il n'aurait pas dû manger. Il eut peur de vomir mais cela se calma. Elle irait magasiner avec sa sœur. De son côté, Robert essaierait de dormir. Il retourna à la cave, remit du bois dans le poêle et se coucha sur le sofa de son bureau, les lumières allumées. Il s'endormit tout de suite, épuisé.

Lorsqu'il se réveilla, il faisait déjà sombre. Louise avait dû descendre et éteindre les lumières. Le poêle était mort et on cognait à la porte.

Des larmes lui montèrent aux yeux.

*

Les policiers étaient là. Les phares de leur voiture illuminaient l'entrée et la cour des voisins. Un des deux hommes était retourné les éteindre. Il avait dû oublier. Robert les fit entrer et leur désigna la table de la cuisine. Il alla chercher une veste de laine et alluma les lumières partout sur son passage. Il leur proposa du café et mit la cafetière en marche. Il avait froid, chaque geste lui était pénible. Il déposa les tasses et le lait sur la table sans nappe. Il prit le sac de sucre et en vida dans un bol. Louise et lui n'en prenaient jamais. Il déposa les petites cuillères devant eux et cela fit beaucoup de bruit. Les policiers demandèrent comment il se sentait. Il leur dit qu'il était un peu assommé. Il regarda l'heure, il était quatre heures et demie. Il avait dormi longtemps. L'un des hommes lui tendit deux feuilles. Il devait les signer. Il ne les lut pas entièrement mais cela mentionnait des détails : l'heure à laquelle il avait appelé les policiers, le givre qui recouvrait la voiture... Il signa. L'homme qui connaissait Simon lui dit que c'était tout. Il y aurait peut-être une enquête et peut-être pas, cela dépendait de la famille. Tout portait à croire que ce serait vite classé. Ils n'auraient pas le rapport d'autopsie avant deux ou trois jours. Le policier lui dit que son collègue vivait avec une fille assez jeune, probablement une étudiante. Elle ne connaissait pas sa famille. Il continua en s'exprimant comme la mère de Robert l'aurait fait. Il avait parlé au père de son collègue et dit qu'il avait « de l'air de du monde ordinaire ». Cultivateur dans un rang près de Roberval. Le vieil homme lui avait dit que leur fils ne les « voisinait » pas beaucoup. Le policier enleva son chapeau. Il dit que « leur journée était faite ». Il regarda sa montre. Robert versa le café et ils le burent en silence. Les deux hommes déposèrent leur tasse en même temps et se levèrent. Celui qui connaissait Simon lui serra la main.

Robert écarta les rideaux pour les regarder partir : un geste que Louise détestait. Elle disait que c'était impoli, mais il le faisait chaque fois que quelqu'un quittait la maison.

Louise rentra tout de suite après. Elle avait acheté des vêtements qu'elle ne lui montra pas. Il redescendit à la cave pour repartir le poêle. Elle le rejoignit. Elle dit qu'elle avait rencontré les policiers dans le rang. Robert répondit qu'ils sortaient de chez eux. Il dit aussi qu'il avait froid : cela lui échappa. Louise brassa le bois dans le poêle. Elle avait acheté du poisson : il valait mieux manger légèrement. Elle remonta à la cuisine. Robert entendit le son de la télévision. Il s'assit à son bureau. Louise cria que l'histoire du suicide passait au bulletin de nouvelles. Il ne monta pas et elle n'insista pas.

Il avait froid.

*

Louise avait repris le travail. Trois jours s'étaient écoulés. Robert les avait passés devant le poêle. Louise commençait à avoir peur de ce comportement. Elle n'en disait rien, mais Robert le savait. Elle avait toujours eu peur de ses écarts, mais là, elle était effrayée. Robert avait froid dès qu'il changeait de place. Il avait essayé de lui expliquer, mais elle était remontée à l'étage et, pour la première fois, cette attitude ne l'avait pas dérangé. Il ne l'avait pas suivie, n'avait pas non plus gagné son bureau en faisant semblant de travailler ou de corriger des copies. Il était resté à sa place parce qu'il avait besoin de chaleur. Il ne pensait qu'à une chose : dès qu'il aurait moins froid, il se rendrait à la maison rouge.

Deux collègues avaient téléphoné et sa mère. C'était tout. Son père ne s'était pas levé de sa chaise. Sa mère lui avait dit que c'était difficile à comprendre, un homme qui avait une si belle profession. Sa mère prononçait le mot profession avec ferveur, comme si c'était un mot d'église. Cela l'avait remonté. Elle lui avait dit qu'ils l'avaient vu dans le journal. C'était tout. Elle n'avait rien ajouté. Elle voulait parler à Louise. Robert n'avait pas suivi leur conversation. Louise eut la voix qu'elle prenait avec ses sœurs lorsqu'elle parle de Simon ou du fait que ses parents n'habitaient que leur cuisine et ne chauffaient qu'à peine le reste de la maison. Une sorte de voix inquiète, un peu étouffée, pour leur montrer qu'elle aussi avait ses problèmes, même si elle possédait la plus belle maison, que son mari avait une profession, que la menace d'un congédiement ne planait jamais sur les grosses demeures qui bordaient le rang. Malgré tout ça, Louise avait ses problèmes. Ses sœurs en parleraient avec une voix étouffée comme la sienne. C'était avec cela qu'elle les rejoignait et se rangeait dans leur camp. Elle était de leur côté, inquiète comme elles, de tout ce qui dérogeait. Louise était du même côté que ses sœurs et elle voulait qu'elles le sachent.

Ces derniers jours, j'ai beaucoup pensé aux bateaux prisonniers du fleuve. J'ai dit au tailleur de fourrure que nous étions nous aussi des marins immobiles sur notre quai.

Je l'attends. Le propriétaire vient de m'apporter une lettre de la mère. Je l'ouvre. Ce sont des coupures de journaux.

Mon frère a trouvé un de ses collègues suicidé dans sa voiture en se rendant travailler le matin. Le tailleur de fourrure arrive. Il s'assoit sur le lit. Je lui explique les détails. À peine si j'ai reconnu mon frère. Je lui fais voir les photos. Du doigt, je lui indique mon frère. Il a beaucoup grossi. Le pire, c'est qu'il est voûté. Une posture de vieillard. J'explique au tailleur de fourrure qu'il n'est pas aussi vieux qu'il en a l'air sur la photo. Il ne commente pas. Mon frère a l'air d'un personnage des romans qu'il fait lire à ses étudiants. Il est distant. Il ne semble pas terrorisé. Il a l'air résigné, résigné à tout, à l'horreur, à l'hiver, à son travail, à Louise. Je m'emporte. Le tailleur de fourrure ne comprend pas. Il sait juste que ce sont des histoires de famille et que mieux vaut attendre un peu, qu'il n'y a jamais rien à dire dans ces histoires-là. Il attend. Il attend que je revienne dans la chambre de motel, que je reprenne mes distances, que je le retrouve lui et notre quai et nos conversations sur les Américains. Les conversations que l'on préfère parce qu'elles sont sans fin. Il est un peu gêné. Je souffre devant lui et il n'aime pas cela. J'attends qu'il dise quelque chose. Il se tait.

Je dis que ma mère ne parle pas de l'état de mon frère dans la lettre. Je les connais : ils vont tous longer les murs en attendant que ça passe, ils vont faire comme si tout était pareil. Je les connais et c'est cela le pire. Mon frère va être seul, puni jusqu'à tant qu'il fasse comme eux, comme si rien ne s'était jamais passé. J'ai dit que cela ne valait même pas la peine de se suicider. Ça m'a échappé. Le tailleur de fourrure est de plus en plus mal à l'aise. Il n'a rien à faire là-dedans. J'essaie de reprendre mon souffle, je n'y arrive pas. Je n'irai pas sur le quai maintenant ; je vais écrire à mon frère. Le Saguenay me remonte à la gorge. Un peu plus et je lui parlerais de l'ombre en camisole blanche, de l'ombre qui ne dormait jamais et de la peur qu'on avait en entendant les bruits qu'il faisait avec son corps : les respirations, les bâillements, les gaz. Je lui parlerais de la manière qu'il avait de se gratter les parties devant nous sans aucune retenue et de ma mère qui devenait livide. Un peu plus et je lui parlerais de la honte de mon frère et de ma honte à moi. Je lui dirais que le pire, c'est que je suis en train de devenir comme lui, que je ne dors presque plus, que j'ai poussé sa solitude un peu plus loin. Il ne parlait jamais à personne, ni dans la rue, ni à l'usine, nulle part. Il ne voulait pas qu'on sache qu'il existe. Il est encore comme cela. Il va de la cuisine au garage et c'est ma mère qui parle au monde extérieur. Il s'assoit sur sa chaise, un peu en retrait de l'endroit où est situé le téléphone. Il écoute, marmonne les réponses qu'il dirait, lui, et ma mère essaie de ne pas l'écouter et de se concentrer sur ce que dit son interlocuteur. Lorsque je téléphone, je l'entends en arrière-champ. Je sais tout ce qu'il dit par cœur. Je connais son ton, sa respiration, son cou, tout le haut de son corps. Je connais chacun de ses gestes. Je sais que, derrière ma mère, mon père, dans ses déclarations, se sent puissant, intouchable. J'ai rêvé pendant des années que je remontais l'Amérique lentement, que j'allais me venger, moi et tous les autres. J'allais lui tordre le cou de mes mains. Il arrêterait de marmonner. J'en rêve depuis longtemps, depuis que je suis sur la route.

Je suis un homme sans courage.

Le tailleur de fourrure s'est levé sans que je m'en rende compte, il a ouvert la porte. La chaleur du parking se fait sentir dans toute la pièce, j'étends mon bras pour fermer l'air climatisé. Je lui dis de laisser la porte ouverte. Il me salue. Il va au quai. Je ne réponds pas. Je vais garder les livres que mon frère m'a envoyés. Je ne les ai pas tous lus. Le tailleur de fourrure m'a pris tout mon temps. Je ne sais pas si je vais lui écrire maintenant ou plus tard. J'ouvre le poste de télévision. Il fait déjà chaud dans la chambre. Je prends la télécommande. Je pense aux livres que mon frère me fait lire. Les mêmes qu'il fait lire à ses étudiants. Des livres avec des héros tranquilles, soumis. Des livres d'hiver, toujours. Je change de canal mais je pense à mon frère.

Mon frère est un héros tranquille.

San Diego, fin février

Je ne suis toujours pas parti mais j'ai cessé de me questionner. J'attends. La mère m'a envoyé un mot et des coupures de journaux. J'ai eu du mal à te reconnaître sur les photos. J'ai beaucoup pensé à toi. J'imagine qu'il devait faire très froid le matin où tu l'as trouvé. C'est au froid que j'ai pensé, même si ici on a commencé à avoir des vraies journées de chaleur. J'ai vu mes premiers baigneurs. Je passe mon temps sur un long quai de bois transformé en terrasses, restaurants, arcades. Il n'y a que des vieux et des adolescents.

Le tailleur de fourrure et moi, nous passons des heures à parler de la société américaine. C'est une discussion que nous reprenons chaque jour. Il a beaucoup lu. Je lui ai recommandé des auteurs de romans américains qu'il a achetés en livre de poche. Il dit que les semaines où il est responsable des groupes, il ne sort pas le soir et il lit. Je ne sais pas grand-chose de lui, sauf qu'il est pris en photo dans des milliers d'albums de plastique et que cela lui lève le cœur. Il vient de Montréal. Je ne sais rien de plus. On dirait qu'il n'a pas d'histoire.

Je n'ai pas lu tous les livres que tu m'as envoyés. Le tailleur de fourrure prend tout mon temps et, le soir, je soupe et je passe la soirée à regarder la télévision. Je ne dors pas beaucoup. Je ne sais pas si je vais aller au Saguenay cette année, ni si je vais me rendre dans l'Ouest, ni rien. J'attends et je ne sais pas pourquoi. Tantôt, devant le tailleur de fourrure, le Saguenay m'est remonté à la gorge. J'ai pensé que cela ne valait même pas la peine de se suicider. Dans le journal, on ne dit pas grand-chose de ton collègue. De loin, comme ça, cela ressemble à une histoire des romans que tu me fais lire. J'ai du mal à faire la différence entre ton collègue et ce personnage de Poissant, pendu dans sa grange avec ses veaux, à la fin d'un mois de février trop difficile.

Je garde les livres encore un peu. J'ignore quand je les lirai.

J'attends une lettre.

Simon

La chambre est devenue irrespirable. Je remets l'air climatisé à faible intensité. Je ne reste pas. Lorsque je reviendrai, ce sera parfait. Je déposerai ma lettre à l'office en sortant. Le propriétaire se charge de les poster. Je ne suis pas très content de ma lettre à Robert, je n'ai pas été capable de lui parler vraiment. Tout à l'heure, devant le tailleur de fourrure, c'est le Saguenay de l'enfance qui m'est remonté à la gorge. Le reste, tous les liens, j'ai peur d'avoir fini par les imaginer. Je ne sais plus. Je suis certain du paysage, du souvenir de la lumière, de la hauteur des caps qui bordent la rivière. Je me souviens de la force du paysage, une force si grande que cela écrase tout. Je me souviens de la chaleur durant l'été, de la douceur que cela créait. Je me souviens de deux enfants qui descendaient les pentes à côté de leur bicyclette pour ne pas risquer de tomber et de se faire interdire la promenade qu'ils préféraient. Je me souviens de ces enfants qui, arrivés sur le belvédère, savaient que leur monde s'arrêtait là, devant cette rivière : personne ne l'avait jamais vaincue et personne non plus ne saurait jamais la vraie profondeur de l'eau. Personne ne connaîtrait sa force. Personne. Les enfants étaient silencieux. De tout le reste, la mère, leur père, la nouvelle maison derrière le centre commercial où je n'allais pas souvent, la lumière éternelle dans la cuisine, je n'étais plus certain. Cela revenait parfois, précisément, mais pour disparaître aussitôt et me laisser plus anxieux que jamais. La même anxiété qui m'a empêché de partir au début du mois et que je ne sens plus maintenant. Pourtant, je ne pars toujours pas. J'étire mes conversations avec le tailleur de fourrure pour rester ici; je me surprends à souhaiter qu'il ne parte pas non plus. Je vais aller le retrouver sur le quai. Depuis que le Saguenay m'est remonté à la gorge devant lui, je sais qu'il a une histoire qu'il ne raconte pas.

DEUXIÈME PARTIE

Robert était retourné à l'université la veille. Il s'était finalement absenté pendant dix jours. Dès qu'il avait pris sa décision au sujet de la maison rouge, il s'était senti mieux ; il voulait quand même attendre que février finisse. Il n'avait rien dit à Louise ; il voulait absolument laisser passer le reste du mois avant de recommencer à travailler. Il voulait finir février face à son poêle.

Les autres professeurs étaient tous venus à son bureau le saluer. Il n'avait pas été remplacé. Les étudiants avaient été prévenus de son retour par téléphone. Plusieurs d'entre eux avaient vu sa photo dans le journal. Ils savaient qu'il avait trouvé la voiture givrée. L'un d'eux lui avait parlé du cadavre. Pas une fois, il n'avait songé au corps comme à un cadavre.

Les suicides des petites villes avaient toujours une histoire. L'année d'avant, une des préposées à la bibliothèque s'était pendue dans la salle des employés derrière le comptoir du prêt. La fille avait plus de trente ans, habitait encore chez ses parents, faisait des sports de plein air en groupe. Au printemps de la même année, elle avait rencontré un homme marié, un ingénieur récemment muté dans la région. Ils avaient passé l'été ensemble, au vu et au su de tout le monde, sur les terrasses de la rue principale. Ils avaient même réservé des places pour aller dans le Sud au cœur de l'hiver. Septembre arrivé, l'ingénieur installait sa femme dans un bungalow presque neuf, près d'une école primaire. L'homme s'était rendu dans le Sud, mais avec sa femme. Ils étaient revenus bronzés. La préposée ne l'avait pas supporté et s'était pendue à la fin de février, dans un bureau de la bibliothèque, pour éviter à sa mère la macabre découverte. C'était ce qu'elle avait écrit dans sa lettre d'adieu. Elle voulait protéger sa mère. Louise connaissait l'histoire en détail parce que la sœur de la préposée était infirmière à l'hôpital. Robert trouvait que l'ingénieur avait été un catalyseur. Elle avait eu son regard inquiet : le regard qu'elle avait lorsqu'il parlait trop. Il avait battu en retraite, mais il avait pensé longtemps à la souffrance de la préposée.

Une autre sacrifiée à l'autel des petites villes.

Même si les dirigeants de l'université n'avaient pas réagi publiquement au suicide du professeur, tout le personnel avait eu, avec son relevé de paye, un dépliant sur les services professionnels offerts par l'institution, dont ceux d'un psychologue spécialisé en problèmes du travail. Robert ne savait pas encore l'histoire de son collègue. Louise lui raconterait peut-être. L'hôpital bourdonnait d'histoires.

Quand, plus tard, il s'était rendu à la maison rouge, il s'était arrêté chez ses parents. Son père était couché en plein jour. Sa mère lui dit qu'il avait eu une petite crise d'angine la veille, rien de très grave. Elle avait appelé leur médecin qui avait recommandé à son père de prendre ses médicaments et de rester couché quelques jours. Il s'était attablé avec elle dans la cuisine, sans aller dans la chambre. La télévision était ouverte dans le salon. Sa mère y était assise avant qu'il arrive. Son mari couché, elle se permettait d'utiliser les autres pièces. Robert l'avait remarqué. Elle lui demanda s'il avait appris des choses sur l'histoire de son collègue. Robert dit non. Elle pensait que c'était peut-être une affaire de boisson ou de drogue. Simon avait appelé la veille, une demi-heure avant le malaise de son père. Il allait bien, il était toujours à San Diego. La mère demanda à Robert s'il pensait que Simon viendrait cette année. Robert ne répondit pas.

Sa mère était distraite, elle essayait d'entendre ce que racontait l'animatrice à la télévision, à propos de la qualité des huiles végétales. Elle se leva. Juste comme il ouvrait la porte, elle lui dit qu'il l'avait inquiétée, qu'il était trop sensible. Elle disparut dans le salon.

La route pour se rendre à la maison rouge était enneigée. Avant, la municipalité ne déblayait pas ce tronçon de route. On s'y rendait en motoneige. Plus personne n'habitait là depuis longtemps. On disait que la maison était hors de prix. Elle était à vendre depuis le départ de l'ancien propriétaire. Il était trop vieux pour vivre dans un endroit si éloigné. Robert ne savait pas le prix de la maison. Il n'avait jamais osé composer le numéro inscrit sur la pancarte. Pourtant, il venait la voir souvent. Il l'avait montrée à Simon, à Louise, qui avait haussé les épaules et qui changeait toujours de sujet lorsqu'il en parlait. Son frère et lui avaient passé tout un après-midi assis sur la galerie à regarder le Saguenay. La maison était la dernière du rang, tout en bas d'une énorme côte. Le perron donnait droit sur le Saguenay. Il était à quelques mètres. On entendait même le clapotis de l'eau. Cela devait faire deux ans qu'elle était à vendre, mais Robert la connaissait depuis longtemps. Située au pied des montagnes, au même niveau que la rivière, la maison rouge offrait une vue exceptionnelle. Le paysage prenait toute la place. On ne pouvait y échapper.

Il faisait déjà sombre. De la maison, on voyait des cabanes à pêche isolées des deux côtés du fjord. L'une d'elles était tout près, à quelques mètres. Il avait passé une partie de février assis face au poêle parce qu'il le voulait. Maintenant, il voulait cette maison, malgré le regard de Louise et l'opinion de ses belles-sœurs. Les yeux rivés sur le Saguenay, Robert était fort, invincible. Il était propriétaire. Il verrait les bateaux l'été et les pêcheurs en motoneige l'hiver. Il observerait la marée monter, l'eau changer de couleur. Il sentirait la force du courant, surveillerait la débâcle au printemps.

Robert entendit sa respiration, il était excité. Cette rivière l'exaltait. Il rebroussa chemin, remonta dans la voiture. Il y avait de la lumière dans la maison en haut de la côte. C'était à cause d'eux qu'on déblayait la route : ils payaient des taxes au village et les enfants devaient aller à l'école. Tout le monde avait dit qu'il fallait être fou pour s'installer dans ce rang, si loin. De chez eux, la vue surplombait la montagne et le Saguenay. À mesure qu'il s'éloignait de la rivière, ses forces diminuaient. Il n'était pas certain de pouvoir tenir tête à Louise. Il n'y avait aucune raison pour acheter cette maison, sauf l'envie de posséder cette vue, et cela, elle ne pourrait pas le comprendre. Il poussa le chauffage à son maximum. L'air chaud l'étouffait, mais il avait toujours si froid.

*

Louise cria de prendre le téléphone: c'était la mère de Robert, son père avait eu un accident. Sa mère avait trouvé son père dans son garage, couché sur le ventre, il avait des taches brunes partout parce qu'il avait renversé un récipient plein de vieille huile à moteur dans sa chute. Elle dit qu'il s'était aussi blessé au front et qu'elle avait refusé de prendre l'ambulance avec lui parce qu'elle ne voulait pas partir sans fermer la maison. Elle avait dit aux ambulanciers que son fils viendrait avec elle.

Elle avait une voix plus haute que d'habitude, une voix que Robert ne connaissait pas. Il dit qu'il arrivait. Louise était déjà habillée; elle venait avec lui. Elle connaissait tout le monde à l'hôpital, cela irait plus vite pour les nouvelles. Robert ne ressentait rien, ni inquiétude, ni hâte, rien.

Sa mère les attendait dans l'entrée. Elle avait pris le temps de se mettre du rouge à lèvres. Elle s'adressa à Louise tout le temps qu'ils passèrent dans la voiture. Elle ne semblait pas énervée, mais sa voix était différente, plus forte que d'habitude. Elle dit qu'il était sorti trop tôt après son attaque mais qu'il ne voulait rien entendre. Il fallait qu'il aille dans son garage. Elle ne savait pas combien de temps il était resté étendu là parce qu'elle était allée le chercher pour souper. Souvent, il lui arrivait de crier pour le faire rentrer. Elle ne savait pas ce qu'il «brettait» dans ce garage-là, mais il y passait tout son temps. Il y avait longtemps que Robert n'avait pas entendu sa mère parler autant. Elle dit à Louise qu'elle voulait tout savoir. Elle ne voulait pas qu'il reste infirme. Il valait mieux qu'il meure. Elle appuya sur le dernier mot. Louise devait se rappeler cela. Sa mère ne pleura pas. Sa voix seule trahissait quelque chose. Elle dit que tous les papiers étaient arrangés ; elle avait tellement insisté pour qu'il le fasse. Il ne laissait rien à Simon, mais elle avait toujours su que Robert partagerait. Elle se tut, puis reprit. Elle savait que c'était mal, mais s'il mourait, ce serait bien. Louise et Robert ne réagirent pas, ils attendirent : sa mère avait encore quelque chose à dire. Elle ajouta qu'elle en avait assez depuis longtemps, puis plus rien. Elle se cala au fond du siège et replaça son chapeau.

Le père de Robert était étendu dans une salle des urgences derrière un rideau. Il était branché sur un respirateur et à d'autres appareils que Robert ne connaissait pas. Il sentait encore l'huile. Il était vêtu d'une jaquette d'hôpital et ses vêtements étaient placés sous la civière dans un sac vert. Robert vit Louise discuter avec l'infirmier de service. Sa mère se tenait à distance. Elle ne pleurait pas mais soupirait souvent. Elle avait peur des appareils, peur que cela le maintienne en vie. Elle dit qu'il fallait appeler leur médecin de famille. Robert dit que l'hôpital allait s'en charger. Il ne ressentait rien. Il était juste un peu incommodé par l'odeur d'huile. Il se sentait soulagé, c'était la première fois qu'il voyait son père sans éprouver d'angoisse. Lui et sa mère se regardèrent. Ils restaient à distance. Robert ne voulait pas s'approcher. Elle non plus.

Louise revint. Elle s'était rendue près du père, pour faire la lecture des appareils. Il avait fait un infarctus grave, les médecins tentaient de le stabiliser, mais on ne saurait rien d'ici vingt-quatre heures. Elle croyait qu'il allait mourir. Louise lui tendit le sac contenant les vêtements de son père. Sa mère dit qu'elle allait rester. Elle s'assit. Louise alla chercher du café dans la salle des infirmières parce qu'il était meilleur. Elle devait rentrer travailler dans quelques heures. Elle promit à la mère de Robert de venir le voir souvent; il était inutile de rester. Sa mère enleva son manteau, le plaça sur le dossier de la chaise. Elle prit son verre à deux mains. Elle attendit. Elle était menue. Robert repartit avec Louise.

Onze heures. Ils étaient restés trois heures à l'hôpital. Robert ne s'en était pas rendu compte. Il prépara un sandwich à Louise et lui versa un coke. Elle avait déjà revêtu son uniforme. Elle allait partir plus tôt pour voir son beau-père; peut-être qu'elle réussirait à convaincre sa mère de rentrer en prenant un taxi en face de l'hôpital. Robert dit que c'était inutile, sa mère avait décidé de rester. Elle voulait être là s'il mourait. Elle croyait que c'était son devoir. Robert dit qu'il appellerait son frère. Il était peut-être à sa chambre à cette heure-là. Il était huit heures en Californie.

Il alla réchauffer la voiture de Louise et revint avec le sac de plastique contenant les effets de son père. Il voulait descendre à la cave et brûler les vêtements un par un. Il voulait le faire sans témoin. Une incinération privée, juste pour lui. Il ferait fondre le sac de plastique à travers le feu. Il attendit que la voiture de Louise s'éloigne dans le rang.

Les vêtements étaient imbibés d'huile, ils prendraient rapidement. Il alluma le feu, attendit que les flammes crépitent et déposa les vêtements un à un dans la flamme. Il y avait aussi les sous-vêtements. Tout avait une odeur d'huile. Les vêtements prenaient bien, comme des torches de tissus trempés d'essence. Il déposa le sac au milieu. Il fondit instantanément. Il ne restait plus rien. Il alla dans son bureau pour appeler Simon. Pas de réponse. Il rappellerait plus tard. Il pensa qu'il rappellerait si son père mourait. Il n'avait pas mangé. Il s'installa à la table de la cuisine et refit les gestes qu'il avait posés pour Louise. Le coke froid coula entre ses dents. Il pouvait rejoindre sa mère. Il n'en avait pas envie.

Il attendit. Encore.

Mon frère va m'attendre à l'aéroport. Il a dit au téléphone qu'il pouvait m'aider à payer le billet. Ça m'a étonné. J'ai dit au tailleur de fourrure de m'expédier mes bagages et mes livres à son adresse. Je lui ai donné quarante dollars américains. J'ai aussi appelé au chantier de Prince Rupert. Tout était retardé à cause de l'hiver trop froid. J'ai laissé le numéro de téléphone de mon frère.

Il est mort. J'ai dit au tailleur de fourrure: «Il est mort.» Après, j'ai dit: «Mon père est mort.» Il est resté silencieux. Il est venu à l'aéroport. Il m'a serré la main. Je m'étais attaché à lui. J'ai dit que j'espérais le revoir, puis je suis monté dans l'avion.

Je n'aime pas les avions, c'est trop vite. Le vol entre San Diego et Los Angeles ne dure que quelques minutes. Je dois attendre deux heures un avion pour Montréal. Il y a un vol direct. Dans la salle d'attente, presque tout le monde parlait français. Je n'ai pas écouté mais cela produisait un bourdonnement familier. Depuis que j'étais parti, j'avais toujours continué de penser en français. Je me suis levé plusieurs fois de ma chaise parce que ma jambe me faisait mal. Comme si elle avait été engourdie. Le picotement remontait jusqu'à ma hanche. C'était très inconfortable et je boitais de plus en plus. Je ne me souvenais plus de la dernière fois où je m'étais rendu au Saguenay pendant l'hiver. Cela devait faire plus de quinze ans. Dans la salle d'attente, on ne parlait que de cela, de l'hiver qu'il fallait retrouver.

Dans neuf heures, j'allais être à l'aéroport de Bagotville. Mon frère m'y attendrait. Il a dit que j'allais rester chez lui. J'avais souvent imaginé qu'un jour je reviendrais pour aller enterrer mon père ou ma mère. C'est normal. J'ai pensé que la mort était une série de détails techniques. Mon frère avait dit qu'on n'allait exposer la dépouille de mon père qu'une seule journée et qu'on le mettrait en terre après. Mon père voulait être enterré.

Comme d'habitude, en avion, je perds la notion du temps. J'ai regardé le film et j'ai relu le livre de Harrison que j'avais rapporté avec moi. Le héros avait du mal à se défaire du scotch, à oublier sa mère et sa sœur qui vivaient en Floride et qui étaient devenues des caricatures de femmes américaines. Elles passaient leurs journées dans des centres commerciaux. Leur épiderme avait une couleur brun pâle qui tirait sur le jaune et, avec le temps, le bronzage excessif avait fripé la peau de leur corps. Elles fréquentaient des Américains moyens qui avaient toujours la peau blanche. C'était toujours de la blancheur de leur peau qu'il se souvenait, jamais de leur visage. Lui mettait le cap sur le Nord, pour retrouver du sens, pour retrouver la mère qu'il avait eue enfant. Il ne trouvait qu'un village perdu, bourré d'alcooliques et de chasseurs violents qui emplissaient les restaurants et les motels. Il n'y avait plus de fermes habitées aux environs, juste des maisons et des bâtiments abandonnés. Le narrateur cherchait un sujet d'article et c'est là qu'on lui avait parlé d'un célèbre bâtisseur de barrages devenu infirme et maintenant retiré à la campagne.

Ce livre m'apaisait. Toute cette conscience m'apaisait.

Je savais ce qui m'attendait dans mon nord à moi. Je n'avais peur que du froid.

Mon frère est moins gros que sur la photo, moins courbé aussi. Il m'attend. Je le vois à travers la baie vitrée de l'aéroport. Nous ne nous touchons pas; nous ne l'avons jamais fait. Il place mon sac à dos à l'arrière de la voiture. Je dis que le vol m'a épuisé. Il me raconte les derniers jours, le coma. Il dit qu'il n'y a pas eu d'histoires. La mère est restée dans la chambre lorsqu'ils ont arrêté les machines. Elle a insisté pour être là. Les infirmières voulaient qu'elle sorte. Elle a dit que le corps avait eu une dernière contraction et que c'était tout. Elle est à la nouvelle maison avec ses sœurs qui sont arrivées. Comme elle n'a pas voulu de traiteur, ses sœurs sont en train de préparer le repas de demain. Elles le transporteront dans le sous-sol de l'église. Les funérailles auront lieu dans le quartier de notre enfance.

Je regarde dehors. Je ne vois rien à cause de l'obscurité. Mon frère demande si j'ai du linge propre. J'en ai mais ce n'est pas un complet. Il rit. Lui non plus n'a pas de complet. Nous n'aurons que trois heures à passer au salon avant les funérailles. À quatre heures, nous nous rendons à l'église juste en face de la résidence funéraire. Nous nous taisons jusque chez lui. En sortant de la voiture, c'est plus fort que lui, il me regarde marcher.

Je boite.

*

Je n'étais pas venu dans le Nord, l'hiver, depuis des années. J'avais oublié à quel point la ville ressemblait à cela, à une ville du Nord. Je ne suis pas certain que mon frère puisse le voir. J'ai l'impression de n'apercevoir que des hangars bas et de la neige qui monte aux fenêtres. Louise s'est assise à l'arrière de la voiture. Tout le monde est silencieux. Je dis que les bancs de neige sont hauts. Je ne vois que cela, l'hiver. Mon frère m'a prêté un pardessus et des bottes. J'ai les mains nues et le manteau déboutonné comme lorsque j'étais enfant. Nous longeons le boulevard. Il y a de plus en plus de commerces de meubles dont je ne connais pas les noms. Mon frère dit que c'est récent, la plupart d'entre eux vendent des kits à assembler : chaises, lits, commodes. Je dis que j'ai l'impression que les maisons sont plus basses qu'avant. Nous rions, c'est l'effet de la neige.

Je n'ai pas encore vu ma mère. Je lui ai parlé, elle a dit que le repas était prêt et qu'on pourrait manger chaud : cela était important. C'est tout. Elle n'a pas demandé que je vienne loger chez elle. Elle a dit que ses sœurs étaient là. C'est Louise qui, la première, a parlé du mort. Elle a demandé si le cercueil était ouvert. Mon frère a dit qu'il n'en savait rien ; c'est la mère qui avait fait les ententes. Louise s'étonna de son détachement. Elle le lui dit. Robert ne répondit pas. Il y avait longtemps qu'il ne se confrontait plus à Louise au sujet de sa famille. Mon frère a choisi de passer par les vieilles côtes. Louise dit que cela rallonge et que c'est moins bien dégagé. Il ne l'écoute pas. Je lui demande s'il se rappelle la mort de notre grand-père. Robert s'en souvient. Un des frères de ma mère avait sombré dans un délire religieux qui avait duré des jours. Il se promenait partout avec un crucifix qu'il insultait et qu'il lançait contre les murs. Mon frère et moi nous étions cachés dans une garde-robe, tellement nous avions eu peur.

Il y a des voitures dans le terrain de stationnement du salon funéraire. Ma mère est déjà là avec ses sœurs. Il n'y aura que sa famille à elle et les frères de mon père. Ils ne voyaient jamais personne. Je serre la main de ces femmes que je ne reconnais pas. Je vois que le cercueil est ouvert mais je ne regarde pas. Mon frère installe ma mère entre nous ; nous attendons l'heure des funérailles. Ma mère ne s'approche pas du mort non plus. Les frères de mon père arrivent suivis de leurs femmes. Ils ne disent rien. Ils s'installent en face de nous et attendent eux aussi. J'entends mon frère respirer. Je ne sais plus si c'est long ou court. Un préposé parle à l'oreille de mon frère qui lui fait signe de s'adresser à ma mère. Elle dit non et nous entraîne, mon frère et moi, devant notre père.

Nous le regardons pour la première fois.

Ensuite, ma mère nous emmène dans l'autre salle. C'est elle qui dirige. Nous attendons les porteurs puis nous traversons la rue à pied pour nous rendre à l'église. Il est quatre heures et le jour commence à décliner. Mon frère dit qu'il va neiger. Ce sont ses premières paroles de l'après-midi. Nous nous installons avec ma mère, au premier rang. Le service est sobre, une seule chanteuse. Ma mère a tout arrangé. Je me demande ce qui arrivera après. Nous devons signer des registres. Ma mère nous fait signe d'y aller. Puis c'est le cimetière. Tout est blanc. C'est très beau dans la lumière d'hiver.

Nous retournons au sous-sol de l'église. La salle est trop grande pour notre petit groupe. Nous avons l'air perdus. Mon frère et moi, nous mangeons et buvons des cafés chauds. Je ne sais plus combien de fois nous remplissons nos verres.

Nous restons silencieux comme lorsque nous étions enfants. Ma mère est contente. Tout s'est bien passé. Elle est fatiguée, mais contente.

Louise reprend sa place derrière la voiture. Il a commencé à neiger. Mon frère dit que maintenant il est trop tard mais que demain, nous irons voir les cabanes de la pêche blanche. Il dit que nous devons y aller au plus tôt parce qu'ils vont commencer à les démanteler. En mars, déjà, la pêche est moins bonne et on craint davantage les redoux.

Nous sommes rentrés et mon frère a dit qu'il devait absolument corriger des copies. Louise avait pris congé de l'hôpital. Je me suis assis sur un des bancs du comptoir pour regarder la télévision. Je suis étonné d'entendre parler français. Je ne me lasse pas. Je n'écoute même pas ce qui se dit. J'entends les sons de la langue, c'est tout. Mon frère est remonté quelques heures plus tard et nous avons mangé sur le comptoir comme un jour de semaine ordinaire. Louise a placé nos assiettes sur des napperons de plastique jaune qui s'harmonisent avec ses rideaux. J'étais inconfortable, juché sur ce tabouret. J'ai mangé en silence et je suis descendu au sous-sol m'installer devant le poêle à bois. Mon frère m'a rejoint et m'a parlé de ses étudiants, de ce qu'ils avaient compris du livre qu'il avait mis à l'étude. Il était découragé et cela m'a rendu triste. Je lui ai raconté que j'avais lu deux fois le livre de Harrison et je suis allé le chercher dans mon sac à dos. Je le lui ai remis. J'ai dit que le tailleur de fourrure allait poster le reste des livres avec mes bagages. Il m'a demandé si j'allais repartir bientôt. J'ai dit que cela dépendait du chantier de Prince Rupert. Il est retourné dans son bureau et j'ai fouillé dans sa bibliothèque. Je me suis installé avec un roman de Gabrielle Roy que j'avais déjà lu.

C'était la première fois que Robert se rendait voir les cabanes avec son frère. Enfants, ils ne pouvaient pas y aller, le village de pêche était trop loin. Louise lui avait fait remarquer qu'il s'était beaucoup absenté au travail cette année. Son excursion ne lui plaisait pas. Robert n'avait pas répondu. Simon avait mis des gants et un foulard. Il avait insisté parce que le vent était froid sur le Saguenay. Robert dit qu'après, ils passeraient voir la mère. Il y avait tellement de lumière que la neige était aveuglante. Son frère regardait droit devant lui. Il ne perdait pas un centimètre du paysage. Il contemplait le fjord, la fumée de mer montant du filet d'eau qui ne gelait jamais, les deux ponts, le belvédère interdit. Robert avait les larmes aux yeux. C'était la plus belle vue du monde. Il le dit. Il le croyait. Simon ne répondit pas. Il regardait. Ils longèrent la rivière sur quelques milles et bientôt ils aperçurent les premières cabanes.

Robert gara sa voiture dans le parking aménagé qui avançait un peu dans la rivière. Ils marchèrent tous les deux vers les cabanes. Simon était près de lui, il vacillait souvent. Il avait perdu l'habitude de se mouvoir dans la neige. Ils entendaient des rires dans les cabanes et les ski-doo tourbillonnaient autour d'eux. Simon était tout étonné de voir tant de cabanes. Robert était excité, il dit que c'était la première fois qu'il marchait jusqu'à elles. Il pointa du doigt l'autre côté de la rivière d'où, d'habitude, il les observait. Les maisons du rang semblaient minuscules. Ils se promenèrent dans toutes les rues du village de glace, ils faisaient la lecture des noms de rue et riaient. Des femmes sortaient des cabanes avec des seaux blancs et ils sentaient la chaleur des poêles provenant de l'intérieur. Il y avait du bois fendu sur le bord des murs.

Ils rebroussèrent chemin. Ils se retournèrent souvent pour observer le va-et-vient des pêcheurs. Robert pressa le pas, il était un peu gelé.

Robert dit qu'ils avaient désobéi et ils rirent. Ils n'avaient pas encore parlé de leur père. Robert proposa de continuer vers la maison rouge. Simon était d'accord. Ils prirent la route qui traverse la batture. Robert dit qu'on parlait encore de la déplacer, parce que les oies blanches ne s'arrêtaient plus. Puis ils empruntèrent le chemin des montagnes. Après Saint-Fulgence, il y avait une fourche à droite et le chemin de rang redescendait au Saguenay. On avait installé une pancarte *Maison à vendre* à l'entrée du rang. Robert dit à Simon que la dernière fois, elle n'y était pas.

Le charrue était passée, le chemin était beau. On avait même étendu du sable dans la côte. La maison rouge était là, tout en bas ; on la voyait de loin. Les fenêtres étaient givrées. Robert dit que c'était mauvais pour la maison. Il gara la voiture.

Robert se mit à parler. Il dit que les voitures étaient les meilleurs endroits pour parler parce qu'elles enfermaient et qu'il était difficile de se sauver. Il pensa qu'il pourrait rester ainsi des heures, silencieux, à regarder un cabane à pêche isolée des autres. Il parla de la nouvelle maison derrière le centre commercial, de la cuisine qu'ils habitaient, du refus de leur père de chauffer les autres pièces, du carton brun sur le parquet de la cuisine. Ces images le faisaient souffrir. Il parla même de l'odeur d'huile. Il dit que c'était désespérant. Leur père était comme une bête qui refaisait toujours la même chose. Il dévissait des boulons sur des pièces de moteur et il les remplaçait par d'autres. Robert dit qu'il faisait cela depuis qu'on l'avait forcé à prendre sa retraite. À l'usine, on l'avait obligé à partir parce qu'il avait frappé un gars plus jeune. Robert dit qu'il avait oublié tout ça au fur et à mesure, il ne savait pas comment, mais il arrivait à oublier. Il dit qu'au début de sa retraite, leur père refusait de se laver. Il avait eu une attaque et Louise s'en était occupé à l'hôpital. Elle lui avait téléphoné de venir et, devant leur mère, elle avait parlé de sous-vêtements tachés et de mois de crasse accumulée sur son corps. La mère avait écouté sans broncher. Elle avait dit qu'il dormait dans l'autre chambre depuis des années. Il ne se lavait plus depuis sa mise à la retraite. Elle a dit qu'elle vivait avec une bête, qu'elle faisait ce qu'elle pouvait. C'est Louise qui avait parlé à leur père. Il avait crié, hurlé qu'elle était une étrangère. Pendant deux ans, leur père avait refusé de signer les chèques de pension que lui envoyait la compagnie. Il avait fallu les faire adresser au nom de la mère. Robert l'avait appris longtemps après, à cause d'une histoire de taxe à payer. Elle l'avait appelé parce qu'elle ne comprenait pas la lettre de la ville et avait peur de perdre la maison. Il dit qu'après sa retraite, le père ne s'était plus occupé de rien, ni des comptes, ni de l'argent. Il vissait ses boulons et tenait les mêmes monologues.

Simon respirait fort. Robert avait fini. Il ne voulait plus reparler de lui, jamais. Il le dit à Simon.

*

Leur mère et leur tante étaient assises à la table de la cuisine. Il n'y avait plus de carton par terre. Les portes du salon étaient ouvertes. Elles parlaient du temps froid et des funérailles. Leur mère se leva pour embrasser Robert et Simon. Elle sortit des tasses. Ils se penchèrent sur cette petite femme sèche. Robert raconta qu'ils étaient allés voir la pêche blanche. Leur tante affirma que la prise était moins bonne que l'année passée. Leur mère emplit une bouilloire électrique chromée que Robert ne connaissait pas. Elle leur offrit du café instantané et du thé. Ils voulaient du café. Elle sortit le lait évaporé et le sucre. Ils retrouvaient les mêmes habitudes que du temps de leur enfance. Simon et lui emplirent leurs tasses, mirent beaucoup de sucre. Le café avait le même goût que celui qu'elle leur préparait lorsqu'ils revenaient de l'école.

Leur mère dit qu'elle avait organisé les choses. Le responsable des assurances de l'usine allait venir et ça ne serait pas compliqué. Elle n'héritait pas d'un gros montant mais elle avait sa pension et sa maison. Pour leur part, elle ne savait pas encore comment cela s'arrangerait, mais ils auraient plus de dix mille dollars chacun, c'était certain.

Leur tante dit qu'à la fin de son bail, elle emménagerait peut-être avec leur mère. La maison était grande et bien située. Elles pouvaient se rendre au centre commercial à pied. Leur mère allait défaire « la chambre des garçons ». Si Robert voulait les lits, il pourrait venir les chercher. Simon dit que c'était des lits d'enfant : il fallait les jeter. Il parla fort.

Ils se levèrent ensemble. Robert avait du travail en retard. Leur mère les embrassa encore. Elle et sa sœur se tenaient devant la porte. Dans la voiture, Simon dit qu'elle allait bien.

Le facteur a laissé la grosse boîte de livres devant la porte de la maison de mon frère. Le tailleur de fourrure m'a écrit une lettre. Il n'est toujours pas reparti de San Diego. Il a déménagé dans le même motel que moi. Il a pris ma chambre. Il dit que c'est plus central et que le propriétaire a accepté de la lui louer au même tarif. Il est ainsi plus près du quai. Il y va encore tous les jours. Il dit qu'il y a plein d'étudiants partout pour le *spring break* et des publicités à tous les coins de rue pour prévenir les catastrophes routières habituelles. Il me transmet les condoléances du propriétaire. Il a posté mon réveil, mes cahiers, des lettres de Suisse qui avaient été expédiées, enfin, tous les objets personnels qu'il y avait dans la chambre. Nos conversations lui manquent, mais il lit tous les livres dont je lui ai parlé. Il les aime. Assez pour faire un voyage vers le Nord.

Je réponds tout de suite.

Chicoutimi, en plein hiver

J'ai reçu la boîte et la lettre. Merci. Je suis étonné que tu sois encore à San Diego, mais on y prend vite goût, je le sais. Aujourd'hui, je suis allé voir un village de pêche construit sur la glace et une vieille maison au fond d'un rang. J'accompagne mon frère dans son hiver. Je relis des livres que j'ai lus vingt fois. La maison de mon frère est grande et confortable et je peux y être seul de longues heures. Je pense que je vais en profiter un peu avant de partir. Ici, sans voiture, on est un peu prisonnier. C'est une situation que j'aime assez, cela m'oblige à l'immobilité. J'ai bien noté l'adresse de tes sœurs et je t'envoie celle de ma boîte postale à Prince Rupert. On fait suivre mon courrier.

Je suis content d'être revenu en hiver. Ce qui m'a le plus étonné, c'est la lumière, la qualité de cette lumière. C'est inexplicable. Ça traverse tout, même l'âme. Ici, tout le monde semble attendre. J'attends aussi. Je fais comme eux. Je m'installe face au poêle et j'attends. Mon frère a vieilli, beaucoup. N'hésite pas à m'écrire.

Simon

Je laisse la dernière phrase même si j'hésite.

Dans la voiture, lorsque mon frère a parlé, il était vieux et souffrant. Je l'ai laissé parler. Je ne pouvais faire autrement. Mon frère est un gros homme bon. Il n'a pas été capable de garder le silence; pourtant, c'est toujours lui qui insistait pour que nous ne parlions pas de notre père. Je me sens étranger. Moi, je souffre toujours de rage. Je peux être des mois sans penser à lui puis sentir ma jambe traîner derrière moi, me souvenir de ses yeux sur cette jambe, et je me mets à le haïr avec intensité, je veux le tuer, lui tordre le cou dans son garage. Maintenant qu'il est mort, je me sens lâche de ne pas l'avoir tué. Je regrette de ne pas l'avoir fait; j'en ai rêvé cent fois. Je suis sans courage. Mon père a engendré des lâches. C'est sa punition.

J'aurais pu écrire une histoire magnifique: un

homme tranquille qui remonte vers le Nord pour tuer le mal qu'il a en lui. Chaque geste a été réglé dans sa tête, il est tranquille, tout se passera bien. Il contrôle tout, sa respiration est régulière, il ne transpire pas. Il connaît le parcours qu'il fait. Il note sur un petit calepin toutes les villes importantes qu'il traverse. Il attend. Tous mes cahiers sont remplis du début de cette histoire. Je suis comme mon père : mes cahiers sont mes boulons. Je lui ressemble. Personne ne le dit jamais, mais plus je vieillis et plus mes traits se creusent de la même manière. Devant mon frère, je n'ai pas parlé. Maintenant que j'ai les cahiers devant moi, j'ai envie de les lui offrir. Je vais arrêter de tourner autour de cette histoire.

Je prends les cahiers, les mets sur le bureau de la chambre du sous-sol. Je replace les livres dans la bibliothèque. Je reviens au poêle et attends que mon frère sorte de son bureau. Je vais repartir. Encore un jour ou deux et je repars vers l'Ouest.

Lorsque mon frère vient me rejoindre, le jour est tombé. Louise est rentrée, elle n'est pas venue nous saluer. Il y a une odeur de viande grillée à l'étage. Nous la laissons travailler seule. Elle aime cela. Mon frère dit qu'il a un cours le lendemain. C'est la première fois qu'il a tant d'absences depuis qu'il enseigne. Il charge le poêle à pleine capacité, règle la clé. J'annonce que je vais repartir bientôt, peut-être dans deux ou trois jours.

*

Je tourne en rond entre la bibliothèque et le poêle. Deux jours à attendre avant de partir. La dernière journée, je la passerai avec ma mère, pour être décent. Ce sont les mots que mon frère a utilisés. J'ai suspendu mon sac à dos à un clou dans la partie non finie de son sous-sol. Ce soir, j'irai avec lui acheter un vrai sac de voyage. On ira au centre commercial, il dit qu'il n'y pas d'autres endroits.

Je m'ennuie de mon quai et du tailleur de fourrure. J'ai vérifié deux fois si j'avais l'adresse de sa sœur dans mon carnet. Peut-être que je pousserai jusqu'à Vancouver, pour le voir avant de commencer à travailler. Il avait dit qu'il s'y rendrait sûrement. Ici, je suis un étranger. J'ai décidé cent fois de ne plus revenir et la rivière a toujours été plus forte, elle a toujours gagné. Maintenant, je pars sans espoir, comme je crois qu'on devrait partir. Je n'apporterai pas de cahiers, ce n'est plus nécessaire. Je n'écrirai pas d'histoire. Je serai ce que j'ai toujours voulu être : un homme tranquille. C'est un homme tranquille qui prendra l'autobus, laissera la rivière derrière lui et commencera à décanter jusqu'à Vancouver. Les premières heures du voyage ne servent qu'à replacer les images, les situer. Je ne pense jamais tout de suite à la rivière, mais elle revient lentement et ce sont ces images-là qui me restent. Des enfants essoufflés sur un belvédère, des enfants trop petits et qui savent que, même lorsqu'ils seront grands, ils seront trop petits pour elle. Elle gagnera toujours. Elle aura toujours le dernier mot et, même vieux, ils auront les yeux mouillés lorsqu'ils la contempleront.

Même si j'aime ma condition de prisonnier, la journée est longue tout seul dans cette maison. Je reste au sous-sol ; en haut, c'est la maison de Louise et les teintes pastel tout harmonisées me lèvent le cœur. Tout est en ordre. Un ordre suspect qui met mal à l'aise. Ses pantoufles sont rangées sur le bord de l'escalier, des pantoufles bleues genre mocassin. Lorsque je les aperçois, je me retourne. J'ai l'impression d'être un voyeur. J'ai hâte que la journée finisse. Je n'aime pas l'odeur de cette maison.

Demain, il y aura ma mère, une journée complète à chercher quoi dire, puis l'autobus. Mon frère viendra m'y reconduire assez tôt pour que j'aie une bonne place et puis, cinq jours de roulement et de paix. J'aurai l'impression de reprendre mon souffle, de respirer autrement, jusqu'à la prochaine fois. Je peux encore espérer dix ans de route; après, on verra. Je vais écrire au tailleur de fourrure deux lettres, une au motel et l'autre à Vancouver. J'aimerais vraiment le revoir avant ma saison de travail. Je vais renvoyer les lettres en Suisse, sans réponse. C'est la seule façon de finir cette histoire. J'aurais dû le faire depuis longtemps. Je prends les enveloppes, j'inscris de retourner à l'expéditrice. J'écris lisiblement, pour qu'elle reconnaisse mon écriture.

J'attends.

Louise rentre la première. Elle ne descend pas. Elle a hâte que je parte, que la vie reprenne. L'hiver a été difficile. Elle l'a dit trois fois hier au souper. D'abord le suicide, puis la mort de son beau-père. Elle dit qu'ils n'ont pas eu le temps de souffler. Elle a hâte que tout se calme. Elle ne comprend pas la sensibilité de Robert. Pourtant, lorsqu'elle descend dans le rang, les grosses maisons se dressent toujours aussi solides et tranquilles. Louise se dit que tout se tassera, c'est un mauvais hiver. Les maisons la rassurent. En rentrant, elle pousse au maximum tous les thermostats et, au bout d'une heure, on suffoque. Elle veut que la maison soit chaude. Elle n'aime pas cette présence continuelle au sous-sol, les voix sourdes qu'elle perçoit parfois. Elle ne comprend pas comment on peut vivre comme je le fais.

Je l'entends qui range des aliments dans le réfrigérateur puis le son de la télévision que l'on vient d'allumer. Elle prépare le souper en regardant les émissions pour enfants. Je trouve cela triste. Je ne sais pas pourquoi. J'attends que mon frère rentre pour monter. Je m'installe à son bureau et commence une lettre au tailleur de fourrure pour l'avertir de mon départ.

Le centre commercial était bondé, comme d'habitude. Les gens parcouraient le mail central d'un côté puis de l'autre. Partout, des petits attroupements et des gens qui discutaient. Simon dit que cela n'avait rien à voir avec les États-Unis. Là-bas, ils avaient le sens du sacré. Les clients poussaient, hypnotisés, de gros chariots pleins de marchandises.

Plusieurs espaces commerciaux étaient vides. Les vitrines étaient obstruées par du papier journal. Simon s'étonna de leur nombre. Robert dit qu'ici, ce n'était rien. Un de ses étudiants lui avait raconté une histoire qu'il n'avait pas répétée à Louise, pour ne pas subir son regard. Une autre histoire du Nord. Dans la petite ville d'où il venait, on avait construit un centre commercial. Les gens attendaient le samedi pour s'y rendre. On se lavait, on s'habillait propre. On arrivait vers dix heures. Tout cela était établi. Tout le monde mangeait et buvait dans le petit mail sans jamais aller dans les boutiques. Plusieurs avaient fait faillite. Les promoteurs ne savaient pas quoi faire. Simon l'écoutait. Ils se dirigèrent vers un magasin à rayons. Simon choisit un sac noir, de grandeur moyenne. Ils sortirent.

Simon était fébrile, Robert le sentait. Il n'en pouvait déjà plus. Il ne tolérait le Nord que dans les livres. Ils n'en parlaient jamais. Robert lui offrit une bière, il refusa. La vue des bars montréalisés du centre-ville le déprimait. Simon préférait le poêle.

Louise était sortie. Il y avait une note sur la table. Depuis la conversation devant la maison rouge, ils n'avaient pas reparlé de leur père. Robert savait qu'ils devraient le faire. Ils auraient à régler les histoires d'argent. Simon était déjà parti : Robert le voyait à son attitude. Ils allèrent au sous-sol. Robert rechargea le poêle. Ils attendirent ensemble que le crépitement devienne régulier pour s'asseoir. Simon lui tendit un banc. Robert dit qu'il faudrait s'occuper des assurances. Simon haussa les épaules. Il demanda à Robert d'arranger cela, il ajouta qu'il ne voulait rien en haussant le ton. Il voulait que cela soit très clair. Il ne voulait rien. Robert lui dit que ce n'était pas rationnel. Il riait. Il dit que non, ce n'était pas rationnel. Il riait encore. Il se leva, se rendit dans la chambre, rapporta trois petits cahiers noirs qu'il tendit à Robert. Simon dit qu'il les lui donnait. Il n'ajouta rien. Robert garda les cahiers dans ses mains, sans les ouvrir.

Simon alla faire ses bagages. Il lui parla de Prince Rupert et d'une grosse malle bleue qu'un de ses amis gardait pour lui là-bas. Son ami était installé depuis des années, il possédait une maison mais il disait toujours que c'était en attendant. Ses vêtements de travail étaient rangés là avec son gros dictionnaire. Au chantier, ils avaient des chambres individuelles dans des maisons préfabriquées. Ils étaient des rois. Robert avait déjà entendu cette histoire. Simon dit qu'il se trouvait chanceux, le chantier où il travaillait était l'un des seuls encore ouverts. Il dit que l'économie finirait par reprendre. Simon avait vu des entrepôts pleins de bois qu'on n'arrivait pas à vendre au moulin à papier. Les propriétaires s'étaient résignés à écouler leur stock de bois de chauffage. Là-bas, on n'avait jamais vu le marché aussi faible depuis la grande crise. Robert se leva. Il avait les cahiers dans ses mains. Il dit à Simon qu'il le reconduirait chez leur mère vers midi et qu'il le reprendrait vers quatre heures pour l'emmener au terminus d'autobus. C'était tout. Lui et Simon ne reparleraient plus.

Je ne suis pas à l'aise tout de suite dans un autobus. Cela prend du temps. Je bouge, j'essaie de me trouver une position, puis je finis par me laisser aller au roulement. Je suis heureux. Je suis sans espoir. Je ne sais pas si je reviendrai, mais ce n'est pas important. Je ne lutte plus avec la rivière, c'est fini. Je n'ai qu'une image, celle de mon frère et moi marchant à travers les cabanes. C'est tout. C'est celle-là que je garderai pour les mois à venir.

Louise a posté mes lettres au tailleur de fourrure. J'ai décidé de passer par Vancouver. Cela ne change pas grand-chose pour moi, un jour ou deux d'autobus, c'est tout. Je crois que je n'arrivais pas à m'arracher de mon quai parce que je sentais que mon père allait mourir. Je souris parce que l'on dit toujours ça après. Je me souviens de mon malaise avant ma rencontre avec le tailleur de fourrure. Si mon père était mort avant, je me demande si ça aurait changé quelque chose.

Je pense. Loin de la rivière, je peux penser, faire des bilans, recommencer. Je suis vieux. Cela ne me fait plus peur. Je suis étonné des mots qui me viennent. Je n'ai rien entrepris, rien échoué. Je suis un homme dans un autobus, je suis nulle part, enfin content de mon errance. Mes cahiers inachevés ne me font plus honte. Partir règle tout. C'est ma seule foi.

À Vancouver, j'achèterai une carte pour la mère. Je suis un homme tranquille.

Il neigeait. Une neige molle de fin d'hiver. Le matin, Louise avait dit « Encore ! » en voyant de nouveau la neige recouvrir le sol. Robert avait cru qu'elle allait pleurer. Il avait acheté la maison rouge avec l'argent de son père. Il ne l'avait pas encore annoncé à Louise.

C'était la première fois que Robert entrait seul dans la maison. Il y avait un vieux poêle à bois. L'agent d'immeubles l'avait assuré qu'il fonctionnait encore. Robert monta à l'étage. Il restait deux commodes et un lit de métal bon pour la ferraille. Il rangea les cahiers de Simon dans un des tiroirs. Il redescendit, alluma un feu. Le poêle était lent à partir. Il s'assit devant la fenêtre.

Il pouvait voir très loin au sud.

BIBLIOTHÈQUE QUÉBÉCOISE

Jean-Pierre April
Chocs baroques

Hubert Aquin
L'antiphonaire
Journal 1948-1971
L'invention de la mort
Mélanges littéraires I.
Profession : écrivain
Mélanges littéraires II.
Comprendre dangereusement
Neige noire
Point de fuite
Prochain épisode
Récits et nouvelles.
Tout est miroir
Trou de mémoire

Bernard Assiniwi
Faites votre vin vous-même

Philippe Aubert de Gaspé
Les anciens Canadiens

Philippe Aubert de Gaspé fils
L'influence d'un livre

Noël Audet
Quand la voile faseille

François Barcelo
La tribu
Ville-Dieu

Honoré Beaugrand
La chasse-galerie

Arsène Bessette
Le débutant

Marie-Claire Blais
L'exilé *suivi de*
Les voyageurs sacrés

Jean de Brébeuf
Écrits en Huronie

Jacques Brossard
Le métamorfaux

Nicole Brossard
À tout regard

Gaëtan Brulotte
Le surveillant

Arthur Buies
Anthologie

André Carpentier
L'aigle volera à travers le soleil
Rue Saint-Denis

Denys Chabot
L'Eldorado dans les glaces

Robert Charbonneau
La France et nous. Journal d'une querelle

Adrienne Choquette
Laure Clouet

Robert Choquette
Le sorcier d'Anticosti

Jean Cléo Godin et Laurent Mailhot
Théâtre québécois *(2 tomes)*

Alain Grandbois
Avant le chaos

François Gravel
La note de passage

Yolande Grisé
La poésie québécoise avant Nelligan. Anthologie

Lionel Groulx
Notre grande aventure
Une anthologie

Germaine Guèvremont
Marie-Didace
Le Survenant

Pauline Harvey
Le deuxième monopoly des précieux
Encore une partie pour Berri
La ville aux gueux

Anne Hébert
Le temps sauvage *suivi de* La mercière assassinée *et de* Les invités au procès
Le torrent

Anne Hébert et Frank Scott
Dialogue sur la traduction À propos du « Tombeau des rois »

Louis Hémon
Maria Chapdelaine

Nicole Houde
Les oiseaux de Saint-John Perse

Suzanne Jacob
La survie

Claude Jasmin
La sablière - Mario
Une duchesse à Ogunquit

Patrice Lacombe
La terre paternelle

Rina Lasnier
Mémoire sans jours

Félix Leclerc
Adagio
Allegro
Andante
Le calepin d'un flâneur
Cent chansons
Dialogues d'hommes et de bêtes
Le fou de l'île
Le hamac dans les voiles
Moi, mes souliers
Le p'tit bonheur
Pieds nus dans l'aube
Sonnez les matines

Michel Lord
Anthologie de la science-fiction québécoise contemporaine

Hugh MacLennan
Deux solitudes

Antonine Maillet
Les Cordes-de-Bois
Mariaagélas
Pélagie-la-Charrette
La Sagouine

André Major
L'hiver au cœur

Gilles Marcotte
Une littérature qui se fait

Claire Martin
Dans un gant de fer. La joue droite
Dans un gant de fer. La joue gauche
Doux-amer

Guylaine Massoutre
Itinéraires d'Hubert Aquin

Marshall McLuhan
Pour comprendre les médias

Émile Nelligan
Poésies complètes

Francine Noël
Maryse
Myriam première

Fernand Ouellette
Les actes retrouvés. Regards d'un poète

Madeleine Ouellette- Michalska
La maison Trestler ou le 8e jour d'Amérique

Stanley Péan
La plage des songes et autres récits d'exil

Daniel Poliquin
La Côte de Sable
L'Obomsawin

Jacques Poulin
Le cœur de la baleine bleue
Faites de beaux rêves

Jean Provencher
Chronologie du Québec 1534-1995

Marie Provost
Des plantes qui guérissent

Jean-Jules Richard
Neuf jours de haine

Mordecai Richler
L'apprentissage de Duddy Kravitz

Jean Royer
Introduction à la poésie québécoise

Gabriel Sagard
Le grand voyage du pays des Hurons

Fernande Saint-Martin
Les fondements topologiques de la peinture
Structures de l'espace pictural

Félix-Antoine Savard
Menaud, maître-draveur

Jacques T.
De l'alcoolisme à la paix et à la sérénité

Jules-Paul Tardivel
Pour la patrie

Yves Thériault
Antoine et sa montagne
L'appelante
Ashini
Contes pour un homme seul
L'île introuvable
Kesten
Moi, Pierre Huneau
Le ru d'Ikoué
Le vendeur d'étoiles

Lise Tremblay
L'hiver de pluie
La pêche blanche

Michel Tremblay
C't'à ton tour, Laura Cadieux
La cité dans l'œuf
Contes pour buveurs attardés
La duchesse et le roturier

Pierre Turgeon
Faire sa mort comme faire l'amour
La première personne
Un, deux, trois

Pierre Vadeboncoeur
La ligne du risque

Gilles Vigneault
Entre musique et poésie. 40 ans de chansons

Paul Wyczynski
Émile Nelligan. Biographie

MEMBRE DU GROUPE SCABRINI

Québec, Canada
2001